Überlebens-
k

Mia und die Zirkusfamilie

Lilly Fröhlich

Überlebenskampf

Mia und die Zirkusfamilie

Band 4

Impressum

Bibliografische Information der Deutschen Nationalbibliothek:
Die Deutsche Nationalbibliothek verzeichnet diese Publikation
in der Deutschen Nationalbibliografie; detaillierte bibliografi-
sche Daten sind im Internet über http://dnb.dnb.de abrufbar.

TWENTYSIX – Der Self-Publishing-Verlag
Eine Kooperation zwischen der Verlagsgruppe Random House
und BoD – Books on Demand

© 2020 Lilly Fröhlich, überarbeitete Auflage

Herstellung und Verlag:
BoD – Books on Demand, Norderstedt

ISBN: 978-3-740-765606

Illustration:	Lilly Fröhlich, © Lilly Fröhlich
Cover:	Lilly Fröhlich, Isabelle Ferrara
	© Lilly Fröhlich

Inhaltsverzeichnis

Steckbrief:

Name: Mia Maibaum

Alter: 11 Jahre

Adresse: Bärenklau

Was ich mag: Pinguine, Malen

Was ich nicht mag: Streit

Was ich werden will: Tierpflegerin

Steckbrief:

Name: Emma Rosenstein

Alter: 11 Jahre

Adresse: Bärenklau

Was ich mag: Pippi Langstrumpf

Was ich nicht mag: Fleisch

Was ich werden will: Chefin

Steckbrief:

Name: Fridolin

Alter: 6 Jahre

Adresse: Zoo

Was ich mag: Mia, Fridolin

Was ich nicht mag: Alleinsein

Was ich werden will: Pinguinpapa

Steckbrief:

Name: Fritz

Alter: 2 Monate

Adresse: Bärenklau

Was ich mag: Mia, Fridolin

Was ich nicht mag: Alleinsein

Was ich werden will: ein großer Uhu

Zirkus in der Stadt

»Hereinspaziert, hereinspaziert!« Ein Mann in rot ge-
punkteter Hose und bunt gestreiftem Hemd hält eine
Kuhglocke in der Hand und bimmelt ohrenbetäubend
laut. Auf dem Kopf trägt er eine rote Perücke, seine
Nase ziert ein roter Gummiball.

Er ist unverkennbar ein
Clown.

Mia Maibaum hält sich
die Ohren zu und stöhnt.

»Na, junge Dame, hast
du Ohrenschmerzen?«,
fragt der Clown und
beugt sich so weit nach
vorne, dass er mit der
roten Knubbelnase fast
sein Knie berührt. Da-
bei gibt es ein krachen-
des Geräusch.

»Ist deine Hose ge-
platzt?«, fragt Mia ver-
gnügt und nimmt die
Hände von den Ohren.

Neugierig mustert sie seine Hose.

Der Clown hält sich die Hand vor den Mund, die in einem
weißen Handschuh steckt. »*Peng*, kaputt! Alles keine

Qualität mehr heute.« Er dreht sich um und wackelt dabei grinsend mit dem Hintern. Sein Grinsen sieht fast so breit aus wie sein Popo, denn er hat einen übermäßig großen, knallroten Mund, weil er die Farbe über das halbe Gesicht gemalt hat.

»Die Hose ist ja wirklich kaputt«, lacht Sophie Maibaum und wackelt gekonnt mit den Augenbrauen.

Der Clown stellt sich sofort in Pose und wackelt zurück mit den Augenbrauen. Dabei zwinkert er Mias Stiefmama zu und deutet mit dem Kopf an, ihm zu folgen. »Hast du heute schon was vor, schöne Frau?«, fragt der Clown.

Mias Papa lacht. Er legt seiner Frau einen Arm um die Schultern und hebt den Zeigefinger mit der freien Hand. »Finger weg! Das ist meine Frau.«

»Aber du hast keine so schöne kaputte Hose wie ich«, beschwert sich der Clown und wackelt erneut mit dem Hintern. Eine quietschrote Unterhose mit weißen Punkten lugt heraus.

»Das denkst du«, sagt Mias Papa und wackelt ebenfalls mit dem Po. Allerdings ist seine Jeanshose heil und man kann seine Boxershorts nicht sehen.

Der Clown winkt ab. »Angeber!«, sagt er und sucht sich andere Gäste zum Necken. Er geht zu einer jungen, blonden Frau und holt eine Hupe aus seiner weiten Hose. Die hält er der Dame vor die Nase und hupt. »Hast du heute Zeit für mich?«

Die Blondine schüttelt lachend den Kopf. »Nein, ich bin schon verabredet.«

Mia springt vor. »Ich habe Zeit. Wir gehen nämlich in den Zirkus.«

Der Clown strahlt über das weiß angemalte Gesicht und klatscht schließlich in die Hände. Er freut sich so sehr, dass er prompt über seine viel zu großen Schuhe stolpert und direkt vor Mia auf dem Boden landet. Er stöhnt auf und hält im nächsten Moment einen Blumenstrauß aus Papierblumen hoch, die er aus dem Nichts hervorgezaubert hat.

Dann wackelt er auffällig mit den Augenbrauen.

»Sind die Blumen etwa für mich?«, fragt Mia.

Der Clown nickt.

Mia will nach den Blumen greifen, doch plötzlich knallt es und die Blumen zerfallen zu Staub.

Der Clown fängt an zu weinen.

Natürlich tut er nur so, als würde er weinen.

Das sieht Mia sofort.

Aber sie spielt das Spiel mit und klopft dem Clown tröstend auf die Schulter.

Ein zweiter Clown taucht auf.

Er hat einen blauen Anzug an mit gelben Sternen. Auf dem Kopf thront ein karierter Zylinderhut. »Was machst du mit meinen Blumen?«

»Kaputt. Alles kaputt. Hose kaputt, Blumen kaputt.«

Der blau gekleidete Clown verdreht die Augen und stöhnt. Dann zieht er den anderen Clown vom Boden hoch. »Wenn du nicht einmal auf meine Blumen aufpassen kannst, was passiert dann mit meinen Ziegen?«

Bestürzt blickt der traurige Clown hoch. Mit großen Augen schaut er Mia an und legt schließlich einen Finger auf seine Lippen.

Mia hält fast ein wenig erschrocken die Luft an.

»Was ist mit meinen Ziegen?«, wittert der Clown mit den Sternen auf dem Kostüm, dass etwas nicht stimmt.

Der andere Clown springt auf und läuft ängstlich davon.

»Na, warte!« Der blau gekleidete Clown rennt seinem Kollegen hinterher, der kreischend über den Zaun hüpft und hinter dem Zelt verschwindet.

»Ich hole schnell die Eintrittskarten«, sagt Mias Papa leise lachend und lässt Mia mit ihrer kleinen Schwester Stella und Sophie alleine.

Noch während Mias Papa in der Warteschlange am Kassenhäuschen des Zirkusses steht, taucht eine Gruppe schwarz gekleideter Menschen auf. In ihren Händen halten sie große Holzschilder und Transparente, auf denen Sätze stehen wie ›*Tiere sind keine Clowns*‹ und ›*Tierleid ist kein Vergnügen*‹.

Sie pfeifen laut auf Trillerpfeifen und hauen auf ihre mitgebrachten Trommeln.

Ängstlich geht Mia zu Sophie und hält sich an deren Arm fest. Sophie weicht mit ihren Kindern nach hinten weg zum Kassenhäuschen.

»Tiger, Löwe, Elefant, gehören nicht in Menschenhand«, rufen die schwarz gekleideten Menschen laut. Sie protestieren gegen den Zirkus.

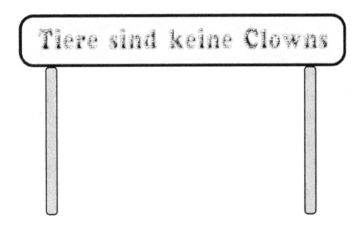

»Kaufen Sie sich keine Karten! Unterstützen Sie die Tierquälerei nicht!«, ruft ein junger Mann durch ein Megafon in Mias Richtung, die sich mittlerweile an der Hand ihres Papas festklammert.

»Papa, ich habe Angst«, sagt Mia.

Endlich ist Papa dran. Er kauft vier Karten und zieht seine Familie von den Demonstranten[1] weg.

Einer der schwarz gekleideten Männer versucht ihm die Karten aus den Händen zu reißen. »Sie sind ein Tierquä-

---

[1] Demonstranten sind Menschen, die auf die Straße gehen, um ihre Meinung zu sagen.

ler, wenn Sie den Zirkus auch noch unterstützen!«, brüllt er Mias Papa an.

Tom Maibaum blickt den Mann mit ruhiger, aber versteinerter Miene an. »Zügeln Sie Ihre Zunge, junger Mann, und fassen Sie weder meine Familie, noch mein Eigentum an, ja!«

Sophie nimmt Stella aus dem Buggy heraus und drückt sie eng an sich. Stella verzieht das Gesicht und fängt augenblicklich an zu weinen.

Ein Mann in Anzug und Krawatte kommt aus dem Zirkus und geht auf die Demonstranten zu. Er hebt die Hände und ruft: »Es ist Ihr gutes Recht, Ihre Meinung zu sagen, aber lassen Sie bitte unsere Gäste in Ruhe!«

Er wendet sich an Mias Familie und führt sie durch den Eingangsbereich auf das Zirkusgelände.

Gleich im ersten Zelt befindet sich ein großer Wagen mit Getränken, Eis und Süßigkeiten. Der Mann winkt einen Mitarbeiter zu sich und redet kurz mit ihm. Der Mitarbeiter in der weinroten Uniform holt eine Tüte Gummibären und Zuckerwatte und reicht sie Mia und ihrer kleinen Schwester.

»Bitte sehr, zum Tränentrocknen!«

Unsicher blickt Mia ihren Papa an.

Dieser nickt, also nimmt sie die Zuckerwatte an und

stammelt ein leises »Dankeschön!«

Auch Stella verstummt und macht sich sogleich über die Gummibärentüte her. »Ich auch Bufi-Bärchen.«

»Du kriegst auch Bufi-Bärchen«, sagt Mia und grinst. Sie findet es unglaublich niedlich, wenn ihre kleine Schwester alles falsch sagt. Darum denkt sie auch im Traum nicht daran, sie zu verbessern.

»Mein Name ist Hans Berthold«, sagt der Mann im Anzug und lächelt Mias Papa an. »Ich bin der Tierschutzbeauftragte von ›Circus Diadem‹. Ich kümmere mich darum, dass es den Tieren gut geht. Es tut mir leid, dass Sie eben dem Protest der Tierschützer ausgesetzt waren.«

»Kein Problem«, antwortet Tom Maibaum. »Es ist ja nicht Ihre Schuld, dass die Demonstranten so aggressiv vorgehen.«

Zwei große Polizeiwagen mit blinkendem Blaulicht fahren vor. Zwölf Polizeibeamte in schwarzen Einsatzanzügen und transparenten Schutzschildern steigen aus und halten die Demonstranten vom Zirkuseingang fern.

»Kommt das öfters vor?«, mischt sich Sophie ein.

Herr Berthold nickt und fährt sich durch die Haare. »Ja, leider. So gut wie an jedem Standort, an dem wir Rast machen. Es gibt überall Tierschützer oder die, die sich dafür halten. Das wird immer schlimmer.«

»Warum haben die Männer gesagt, dass wir Tierquäler sind?«, fragt Mia und blickt Herrn Berthold mit großen Augen an.

Mia liebt Tiere.

Sie würde niemals auch nur daran denken, einem Tier ein Haar zu krümmen. Sogar Spinnen fängt sie im Haus mit einem Glas und bringt sie dann in den Garten.

»Die Demonstranten sind der Meinung, dass unsere Tiere hier im Zirkus gequält und durch die häufigen Transportfahrten starkem Stress ausgesetzt werden«, antwortet Herr Berthold. »Aber das ist nicht wahr. Und jeder, der den Zirkus unterstützt, ist in ihren Augen damit auch ein Tierquäler. Der Amtsarzt von der Tierschutzbehörde hat jedoch die Tiere vor, während und nach dem Transport schon getestet. Und die Ergebnisse waren eindeutig. Die Tiere fühlten sich nicht gestresst.« Herr Berthold beugt sich zu Mia hinunter. »Hast du Haustiere?«

Unsicher blickt Mia zu ihrem Papa.

Dieser nickt.

»Wir haben drei Pinguine«, sagt Mia zur großen Überraschung des Tierschutzbeauftragten.

»Wow! Pinguine! Ist das erlaubt?«

Mias Papa lacht leise. »Ja, das ist es. Wir haben eine Sondergenehmigung. Der Fridolin hat sich nämlich vor drei Jahren in Mia verliebt, als wir im Zoo waren. Und da er daraufhin sehr oft ausgebückst ist, um Mia zu suchen, haben wir mit dem Zoodirektor und der Obersten Tierschutzbehörde[2] eine Vereinbarung. Fridolin ist mit seinen beiden Kindern jedes Wochenende bei uns.«

»Das nenne ich wirklich außergewöhnlich! Eine Pinguinfamilie in Menschenhand.« Herr Berthold lächelt zum ersten Mal. Dann wird er wieder ernst. »Wie heißt du?«

»Ich heiße Mia. Mia Maibaum«, antwortet Mia.

»Mia, was meinst du, würde dein Fridolin zu dir kommen, wenn du ihn quälen und schlagen würdest?«

Erschrocken atmet Mia ein und vergisst glatt, zu antworten.

Quälen?

Schlagen?

Ihren geliebten Fridolin?

»Das würde ich niemals tun«, platzt Mia schließlich voller Empörung heraus.

---

[2] Die Oberste Tierschutzbehörde kümmert sich um das Wohl und die Gesundheit der Tiere.

»Das glaube ich dir sogar. Weil du deine Pinguine liebst, nicht wahr?«, sagt Herr Berthold.

Mia nickt.

Sie erinnert sich an ein Wochenende in den letzten Sommerferien. Stella hatte den Rand des Schwimmbades der Pinguine mit einem Hammer kaputtgeschlagen und Fridolin hatte sogleich mit seinem Schnabel in dem Loch herumgebohrt. Er hätte sich verletzen können. Darum hatte Mia mit Stella und Fridolin geschimpft.

Sowohl Stella als auch Fridolin haben den ganzen Tag über nichts mehr mit ihr zu tun haben wollen. Stella drehte sich jedes Mal weg, wenn Mia kam, und Fridolin versteckte sich in seiner Höhle.

Das war das erste und einzige Mal, dass es Unfrieden zwischen ihr und dem Pinguin gegeben hatte.

Es war ganz furchtbar gewesen.

Erst am nächsten Tag hatte sich Mia bei Fridolin entschuldigen und wieder mit ihm kuscheln können.

»Siehst du!«, sagt Herr Berthold, »und wir lieben unsere Tiere auch. Wenn wir sie mit einer Peitsche schlagen, sie anketten und zu irgendetwas zwingen würden, dann würden sie niemals freiwillig mit uns in der Manege arbeiten. Sie wären bockig und unberechenbar. Sie würden uns

vielleicht sogar beißen oder angreifen. Das tun sie aber nicht. Es geht ihnen gut bei uns. Wir haben sogar einen Löwen, der ist ganze sechsundzwanzig Jahre alt. So alt wird kein Löwe in der freien Natur. Ein Löwe hat nämlich nur eine Lebenserwartung von zehn bis vierzehn Jahren, sofern er ausreichend Futter findet.«

Das leuchtet Mia ein.

»Tiere, denen es nicht gut geht, wollen mit Menschen nichts zu tun haben. Die Tiere im Zirkus aber gehen in die Manege und vollführen da Kunststücke«, fügt Herr Berthold hinzu.

Plötzlich wird es außerhalb des Zeltes laut.

Herr Berthold verabschiedet sich und läuft nach draußen. Mias Papa folgt ihm zum Zeltausgang und blickt hinaus. Mia späht vorsichtig durch seine Arme hindurch.

Sofort kommen mehrere Männer in weinroten Uniformen aus dem Zirkus gelaufen und bitten die schaulustigen Zirkusgäste in das große Zirkuszelt.

»Was ist passiert?«, fragt ein älterer Herr.

»Wir haben das Problem gleich wieder im Griff«, weicht einer der Zirkusmitarbeiter einer Antwort aus. »Bitte gehen Sie schon in das Zelt!«

Nervös geht Tom Maibaum mit seiner Familie ins Zirkuszelt und sucht seine Plätze auf.

Dann ertönt eine Lautsprecherdurchsage. »Liebe Gäste, es besteht kein Grund zur Sorge, aber bleiben Sie bitte trotzdem auf Ihren Plätzen. Demonstranten sind aufs Zirkusgelände eingedrungen und haben einen der Löwenkäfige geöffnet. Es besteht keine Gefahr. Unser Löwendompteur, Martin Smith, hat alles im Griff.«

Mehrere Männer in dunkelblauen Arbeitsanzügen schließen den hinteren Zelteingang.

Mit großen Augen blicken sich Mia, Sophie und ihr Papa an.

»Das ist ja ein starkes Stück! Die schimpfen sich Tierschützer und öffnen dann die Gehege.« Verärgert rümpft Mias Papa die Nase.

Mia blickt ihren Papa an. »Sind das denn keine Tierschützer?«

»Würdest du das Zoogehege von Fridolin öffnen, damit er auf die Straße laufen kann?«, fragt Mias Papa.

Mia denkt kurz nach, dann schüttelt sie den Kopf. »Nein, das ist viel zu gefährlich. Er könnte verletzt werden, verhungern oder von Tierquälern eingefangen werden«, antwortet sie schließlich.

»Genau«, sagt Mias Papa, »du hast es erfasst. Jemand, der Tiere liebt, setzt sie niemals so einer Gefahr aus. Es gibt andere Wege, sich zu wehren, wenn man ein Ziel erreichen will.«

»Welche denn?«, will Mia wissen.

Mias Papa nimmt Stella auf den Schoß, weil sich das Zelt mit vielen Menschen füllt und Stella Angst vor den Menschenmassen hat. »Man kann friedlich demonstrieren oder Politiker überzeugen, sich für die Schließung von Zirkussen einsetzen.«

»Also, ich bin ja kein großer Zirkusfan«, gesteht Sophie plötzlich, »aber«, sie hält einen Finger in die Höhe, weil sowohl Mia als auch Tom widersprechen wollen, »aber ich finde, das Publikum sollte selbst entscheiden, ob es einen Zirkus unterstützen, ob es Eintrittskarten kaufen oder ob es dem Zirkus fernbleiben will. Niemand hat das Recht, einen Zirkus zu verbieten.«

Mias Papa gibt seiner Frau einen schnellen Kuss. »Da hast du Recht, mein Schatz. Das hat die Schließung vom weltgrößten Zirkus in den USA ja gezeigt. Niemand ist mehr hingegangen und dann war er pleite.«

»Wirklich?« Mia guckt ihren Papa mit großen Augen an. »Der größte Zirkus der Welt hatte kein Geld mehr?«

»Ja. Nach 150 Jahren musste er schließen. Sie hatten viele Jahre lang Elefanten und darum auch viele Tierschutzorganisationen[3] als Gegner. Der Zirkus hat sechsunddreißig

---

[3] Tierschutzorganisationen sind Vereine, die für den Schutz von Tieren kämpfen.

Jahre lang gegen Tierschützer gekämpft. Es gab jahrelange Gerichtsprozesse«, erinnert sich Mias Papa.

»Was ist denn eine Tierschutz-dingsbumsda?«, hakt Mia nach.

Tom Maibaum streichelt seiner Tochter über den Kopf. »›Tierschutzorganisationen‹ sind Gruppen von Menschen, die sich zusammengeschlossen haben, um für die Rechte der Tiere kämpfen. Das ist auch in Ordnung, denn Tiere können nicht für sich sprechen. Der Zirkus ›Ringling‹ in den USA hatte die Prozesse gegen die Tierschützer jedoch gewonnen. Aber die Tierschützer gaben einfach nicht auf. Und irgendwann hatte der Zirkusdirektor einfach keine Kraft mehr und nahm die Elefanten aus dem Programm.«

»Und dann ist niemand mehr hingegangen, weil die Elefanten weg waren?«, fragt Mia.

Papa nickt. »Genau. Niemand wollte mehr einen Zirkus ohne Elefanten besuchen. Zumindest nicht genug Leute, damit er sich halten konnte.«

»Das finde ich schrecklich«, sagt Mia traurig.

»Ich auch«, entgegnet ihr Papa und streichelt ihr über den Kopf. »Aber heute wollen wir die Vorstellung genießen. Den ›Circus Diadem‹ gibt es ja noch. Und sie haben sogar Elefanten.«

»Ich würde lieber in einen Zirkus ohne Tiere gehen«, sagt Sophie leise. »Ich finde, Tiere gehören nicht in einen Zirkus.«

Mias Papa streichelt ihren Arm. »Ich freue mich trotzdem, dass du mitgekommen bist.«

»Liebes Publikum, die Polizei hat die Störenfriede weggebracht und unsere Gehege sind wieder verriegelt. Keiner der Löwen ist entlaufen. Wir haben weitere Schlösser angebracht und Sicherheitspersonal abgestellt, damit wir die Vorstellung, auf die Sie sich schon gefreut haben, auch sicher und friedlich durchführen können«, sagt ein Mann in grauer Jeans und schwarzem Hemd durch ein Mikrofon. Auf seinem Rücken ist ein Löwenkopf abgebildet und darunter steht ›*Martin Smith, Dompteur*[4]‹.

Mia atmet erleichtert auf. »Bin ich froh, dass hier keine Löwen frei hereinspaziert sind.«

Mias Papa klopft ihr auf den Rücken. »Das bin ich auch. Und jetzt genießen wir erst einmal die Vorstellung.«

---

[4] Ein Dompteur bringt wilden Tieren Kunststückchen bei.

Bauer Kurt dreht durch

Krawumm!

»Was war das?« Erschrocken läuft Mia aus dem Haus.

Vor der Terrasse neben dem Pinguinbecken liegt ein dicker, brauner Vogel.

»Das ist eine Eule«, ruft Mias Papa, der seiner Tochter in den Garten gefolgt ist.

Sophie schnalzt mit der Zunge. »Ihr zwei Süßen habt wohl im Biologieunterricht geschlafen, was? Das ist ein ›*Bubo bubo*‹.«

»Jetzt veralberst du uns aber, Sophie«, beschwert sich Mias Papa mit gespielter Empörung.

»Nein. Das ist der lateinische Begriff für den ›Uhu‹. Das ist allerdings noch ein sehr junger Uhu.«

Vorsichtig nähern sie sich dem Vogel.

»Ist er tot?«, fragt Mia ängstlich.

Sophie legt eine Hand auf den Bauch des Tiers. Dann schüttelt sie den Kopf. »Er atmet noch. Aber ich glaube, er ist verletzt. Seht euch nur den Flügel an!«

Mia legt den Kopf schief. »Meinst du, der ist gebrochen?«

Sophie nickt. »Ich befürchte es.«

»Und was machen wir jetzt mit ihm?«, will Mias Papa wissen.

Fridolin, Mias Pinguin, guckt vorsichtig aus seiner Höhle. Neugierig springt er ins Wasser und schwimmt zu den Maibaums rüber.

»Hallo Fridolin, sieh nur! Wir haben Besuch«, sagt Mia und nimmt ihren Pinguin auf den Arm.

Fridolin trötet leise. Dann blickt er auf den Uhu.

»Das ist ein Uhu, Fridolin. Er ist verletzt«, erklärt Mia, auch wenn sie davon ausgeht, dass er ihre Worte nicht versteht.

Fridolin trötet erneut. Dann zappelt er so heftig, dass Mia ihn auf den Rasen setzt. Langsam nähert er sich dem Uhu und stupst ihn mit dem Schnabel an.

Der Uhu öffnet erst ein Auge, dann ein zweites. Ächzend will er sich erheben, aber es funktioniert nicht, denn sein Flügel hängt ganz abgeknickt an seinem Körper herunter.

Kurzentschlossen nimmt Mias Papa ihn auf den Arm. »Wir fahren in die Tierklinik. Mal sehen, ob Dr. Hase uns helfen kann.«

***

»Schade, dass die Ferien schon wieder zuende sind«, sagt Nils und schleckt an seinem Schokoladeneis. Seine Zwillingsschwester Amelie nickt und seufzt.

Mia taucht ihren Löffel genießerisch in ihr Erdbeereis und führt es voller Vorfreude zum Mund. »Schön lang waren die Ferien.«

Gemeinsam mit Lucas genießen sie ihr letztes Ferieneis in der Eisdiele am Marktplatz.

»Wie das Gymnasium wohl sein wird«, überlegt Mia laut.

»Es wird komisch sein, unsere Klassenkameraden nicht wieder zu sehen«, sagt Amelie.

»Uns siehst du doch noch«, erwidert Lucas und grinst.

»Stimmt«, sagt Mia.

Plötzlich ertönen laute Rufe und eine größere Menschenmenge marschiert auf den Marktplatz. Sie tragen alle Heugabeln und große Holzschilder.

»Was ist das?«, fragt Lucas überrascht. Er vergisst glatt, sein Vanilleeis weiter zu essen und prompt kleckert er seine Hose damit voll.

Amelie reicht ihm eine Serviette.

»Das ist doch Bauer Kurt«, sagt Mia verwundert. »Warum schwingt er heute die Heugabel? Ist es nicht viel zu warm dafür?« Sie lacht leise, aber dann vergeht ihr das Lachen. Die wütende Menschenmenge kommt direkt auf das gut gefüllte Eiscafé zu.

»Stoppt die Tierquälerei!«, rufen einige und wackeln mit ihren großen Holzschildern, die an langen Besenstielen befestigt sind.

»Der Zirkus muss weg«, ruft eine junge Frau. Sie läuft auf Mia und ihre Freunde zu und deutet auf ihr Schild. Es zeigt ein Foto von einem Elefanten, der angekettet ist und mit einem Hakenstock geschlagen wird. Blut läuft ihm die Beine hinunter.

Mia ist so erschrocken, dass sie prompt würgen muss.

»Sind Sie verrückt geworden?«, ruft ein Mann vom Nachbartisch. »Lassen Sie die Kinder in Ruhe!«

Die Frau mit dem schrecklichen Foto wendet sich von Mias Tisch ab und geht auf den Mann zu. »Sie unterstützen den Zirkus wohl auch, was?«

»Das geht Sie überhaupt nichts an, Fräulein. Aber das, was Sie hier machen, ist Körperverletzung! Sie können den Kindern doch nicht solche Bilder zeigen! Haben Sie denn gar keinen Anstand?«

Die Bedienung vom Eiscafé läuft in den Laden und ruft die Polizei.

Linda biegt um die Ecke und bleibt beim Anblick der Demonstranten erschrocken stehen. Dann zückt sie ihr Handy.

Mia winkt ihr zu.

Linda winkt zurück und geht schnellen Schrittes auf ihre Freunde zu. Ächzend lässt sie sich auf dem letzten freien Stuhl fallen. »Hallo! Was ist denn hier los?«

»Die sind eben erst aufgetaucht und machen hier einen Riesenlärm«, beschwert sich Nils. »Eigentlich wollten wir in Ruhe unser letztes Ferieneis genießen.«

»Hm«, sagt Linda, »Genuss ist bei den Bildern unmöglich. Habt ihr gesehen, wie blutig die Bilder sind?« Ungläubig schüttelt sie ihre blonde Haarmähne.

Mia grunzt. »Die Bilder sind furchtbar. Mir ist ganz schlecht.«

Zwei Polizeiwagen mit Blaulicht und Sirene kommen bereits um die Ecke gebraust.

»Da kommt meine Mutter doch schon«, sagt Linda grinsend. Sie winkt ihrer Mutter zu, die in Uniform aus dem Wagen steigt, aber Frau Kamm hat keine Zeit, zurück zu winken. Sie läuft mit ihren Kollegen zu den Krawallmachern, die mittlerweile laut auf den Blechmülleimern herumtrommeln.

Der Mann vom Nachbartisch winkt einen der Polizeibeamten zum Eiscafé. »Kommen Sie hierher! Hier werden Kinder mit Horrorfotos geschockt.«

Zwei Beamten kommen der Aufforderung nach und müssen zwei Demonstranten mit Gewalt aus dem Eiscafé ziehen.

Schweigend starren die Kinder den Polizisten hinterher und vergessen glatt, ihr Eis aufzuessen.

»Ich glaube, ich möchte niemals Polizistin werden«, sagt Mia. »Wenn man nicht aufpasst, kriegt man einfach was über die Rübe gezogen.«

Linda lächelt. »Ich gehe zur Polizei. Seht doch nur, wie cool die Polizisten sind. Sie haben die Krawallmacher sofort im Griff. Und niemand darf die Polizei ungestraft schlagen. Dafür gibt es Gesetze.«

Drei weitere Streifenwagen tauchen auf.

»Am coolsten ist es, wenn die Polizei ihren Wasserwerfer einsetzt«, schwärmt Linda.

Amelie zieht eine Grimasse. »Was ist denn ein Wasser-werfer?«

»Das sind große Spezialfahrzeuge mit riesigen Wasser-tanks und Stahlrohren, durch die die Polizei Wasser auf die Demonstranten schießt, wenn die gewalttätig sind«, erklärt Linda fachmännisch.

Lucas ist sichtlich beeindruckt. »Wow, du kennst dich ja gut aus.«

Linda zuckt mit den Schultern. »Kunststück! Meine Mut-ter ist doch bei der Polizei.«

Im gleichen Augenblick fährt ein blaues Riesenauto um die Ecke, das nur vorne mit kleinen Fenstern ausgestattet ist.

»Cool! Seht nur! Das ist ein Wasserwerfer«, sagt Linda und deutet auf das Monstrum.

»Ich wusste gar nicht, dass die in Bärenklau solche Autos bei der Polizei haben«, sagt Lucas sichtlich beeindruckt.

Mia rutscht tiefer auf ihren Stuhl. Sie ist überhaupt nicht scharf auf heftige Kämpfe zwischen der Polizei und den Demonstranten.

»Haben sie auch normalerweise nicht. Aber heute gab es eine Vorführung bei der Polizei in Bärenklau. Meine Mut-ter hat heute morgen beim Frühstück noch erzählt, dass sie das Ding aus Berlin hier haben werden«, erklärt Linda.

»Dies ist eine unerlaubte Versammlung. Sie wurde weder angemeldet, noch genehmigt. Sie belästigen die Passanten durch aggressives Verhalten. Aus diesen Gründen wird die

Versammlung mit sofortiger Wirkung aufgelöst. Bitte verlassen Sie umgehend den Marktplatz«, ertönt eine Lautsprecheransage der Polizei.

»Das nenne ich mal Action am letzten Ferientag«, schwärmt Nils und wackelt freudig mit den Augenbrauen.

Mia hebt ihren Eislöffel hoch und lässt ihr geschmolzenes Erdbeereis in den Becher zurücklaufen. »Also, ich hätte lieber ein gefrorenes Eis genossen, statt so viel Action zu haben.«

»Ich auch«, stimmt Amelie ihrer Freundin zu.

»Mädchen«, brummt Nils und verdreht die Augen.

Plötzlich fliegen Flaschen und Steine durch die Luft.

Der Mann vom Nachbartisch steht auf und scheucht seine beiden Kinder in das Eiscafé. Dann läuft er zu Mia und ihren Freunden. »Los, kommt, oder wollt ihr hier Wurzeln schlagen? Geht ins Café hinein! Hier draußen ist es viel zu gefährlich für euch.«

Nils verzieht das Gesicht. »Mannomann, immer wenn es spannend wird, müssen Kinder gehen.«

»Es ist nicht spannend, es ist gefährlich«, sagt der Mann und bleibt hartnäckig.

Mia, Amelie, Nils und Lucas gehen mit Linda ins Eiscafé. Ihr Eis ist längst nur noch Suppe und das mag keiner von ihnen. Also lassen sie ihre Eisbecher stehen und warten geduldig im Café, bis die Polizei die Lage wieder im Griff hat.

»Mamma mia, was ist nur mit den Menschen los?«, ruft Francesco, der Inhaber vom italienischen Eiscafé. Er klopft Mia auf die Schulter. »Bella Mia, was ist mit deinem Eis? Hat es dir nicht geschmeckt?« Er deutet auf den Eisbecher, der ganz verloren mit seiner Eissuppe auf einem der Tische im Außenbereich steht.

Mia zuckt mit den Schultern. »Vor lauter Aufregung war mir ganz schlecht. Dann kamen die Demonstranten und jetzt ist mein Eis geschmolzen.«

Francesco winkt Mia und ihre Freunde zu sich an die Eistheke. »Kommt her, ich gebe euch eine neue Eiskugel!« Er drückt jedem eine Eistüte mit der jeweiligen Lieblingssorte in die Hand. »Das geht aufs Haus!«

»Sie wissen, was wir gerne essen?«, fragt Amelie überrascht.

»Natürlich«, sagt Francesco und lacht, »ihr seid doch meine Lieblingskunden. Ich kenne euch schon so lange. Mia hat schon als Baby bei mir ihr Erdbeereis gegessen.« Er zwinkert den Freunden zu.

Nils schaut durch die große Schaufensterscheibe. »Da kommt noch ein Polizeiauto. Das ist aber groß.«

Linda guckt über seine Schulter. »Das ist ein Gefangenentransporter. Die nehmen bestimmt ein paar von den Krawallmachern fest.«

»Cool!«, sagt Nils und verdreht schwärmerisch die Augen. »Endlich ist mal was los in Bärenklau!«

Mia schnalzt mit der Zunge. »Also ich hätte lieber mein Eis gegessen. Die Bilder gehen mir gar nicht mehr aus dem Kopf. Ich bekomme bestimmt Alpträume heute Nacht.«

»Du bist aber empfindlich«, sagt Nils.

Linda legt Mia einen Arm um die Schultern. »Ich finde es in Ordnung, dass du sensibel bist. Besser als all die abgestumpften Idioten, die denken, dass Menschen auch in echt wieder aufstehen, nur weil sie im Film so tun, als wenn sie tot sind.«

Mias Vater stürmt in das Eiscafé. »Mia, bist du heil? Geht es dir gut?« Besorgt schließt Tom Maibaum seine Tochter in die Arme.

»Ja, Papa, du kannst mich wieder loslassen«, sagt Mia und lächelt verlegen.

Es ist ihr peinlich, dass ihr Papa vor ihren Freunden so einen Aufstand macht. »Ich bin doch kein Baby mehr.«

Tom Maibaum versteht den Wink sofort. Er löst die Umarmung und geht einen Schritt rückwärts. »Natürlich nicht. Du bist ja schon richtig groß und mit zehn Jahren ist man unverwundbar.« Er fährt sich durch die Haare. »Ich bin trotzdem froh, dass du unverletzt bist. Diese angeblichen Tierschützer übertreiben maßlos.«

Linda lacht leise, dann klopft sie Mia auf die Schulter. »Meine Oma sagt immer, auch wenn die Kinder größer werden, hört man niemals auf, sich Sorgen zu machen. Je größer die Kinder, desto größer die Sorgen. Aber solange ich bei Ihrer Tochter bin, Herr Maibaum, brauchen Sie sich keine Sorgen zu machen.«

»Ach nein?«

»Nein. Ich gehe nämlich auch zur Polizei, wenn ich mit der Schule fertig bin«, erwidert Linda.

Mias Papa blickt nach draußen. »Sehr beruhigend, Linda. Danke! Ich glaube, die Luft ist rein. Kommt ihr mit raus?«

Mia nickt und folgt ihm gemeinsam mit ihren Freunden.

»Kurt, was hast du schon wieder für einen Mist verzapft?«, ruft Mias Papa einmal quer über den Platz. »Diese Demo[5] ist doch bestimmt nicht auf deinem Misthaufen gewachsen, oder?«

Bauer Kurt ist ein älterer Mann, der die ganze Region mit seinen fünfhundert Milchkühen und seinen Milchproduk-

---

[5] Bei einer Demonstration treffen sich viele Menschen unter freiem Himmel, weil sie sagen wollen, dass sie für oder gegen etwas sind. Hier müssen sie sich an Regeln halten.

ten versorgt. Verärgert winkt der 65-Jährige ab. »Lass mich in Ruhe, Tom.«

»Was hast du gegen Zirkusse?«, bohrt Mias Papa weiter nach.

»Das sind alles Tierquäler. Hauptsache die Kasse klingelt und die Stars in der Manege haben ihren Applaus«, faucht der Bauer zurück.

»Aha, daher weht der Wind«, sagt Mias Papa. »Der Zirkus stiehlt dir die Show. Dann pass du mal auf deine vielen Milchkühe auf! Nicht, dass noch irgendein Tierschützer auf die Idee kommt, deine fünfhundert Kühe freizulassen. Schließlich leben die auch in Gefangenschaft.«

»Das ist jawohl was anderes.« Wütend will sich der Bauer aus dem Kreis der Polizisten entfernen und auf Mias Papa zustürmen. Aber Lucas Papa, der ebenfalls bei der Polizei arbeitet, hält ihn auf. »Nix da, Kurt Bader, du bleibst schön hier!«

»Du meine Güte«, ruft Mias Papa plötzlich. Er packt Mia und legt ihr eine Hand über die Augen.

»Papa, lass das! Was ist los?«, ruft Mia pikiert.

»Kinder, schaut weg! Das ist ja grausam. Wie kann man Kindern nur solche geschmacklosen Bilder zeigen?« Tom Maibaum ist zutiefst erschüttert, als er die Plakate der Demonstranten entdeckt.

»Das ist nichts als die grausame Wahrheit. Tiere werden im Zirkus gequält«, ruft die Demonstrantin mit dem blutigen Elefantenbild.

Mias Papa schüttelt den Kopf. »Schalten Sie eigentlich auch Ihr Gehirn ein? Sie können doch Kindern nicht solche Lügenmärchen auftischen und dann noch so grausame Bilder zeigen. Demonstrieren Sie lieber gegen die Wilderer, die Tiere in der freien Natur für wenig Geld abschlachten und ausrotten.«

»Je früher sie die Grausamkeiten sehen, desto besser«, kontert die junge Frau.

»Dann wünsche ich Ihnen eigene Kinder und mehr Mitgefühl. Je früher, desto besser.« Mias Papa macht auf dem Absatz kehrt und scheucht Mia und ihre Freunde in die entgegengesetzte Richtung fort.

Die neue Schule

»Bin ich erschöpft«, stöhnt Mias Papa und lässt sich auf das Sofa fallen.

»Die Tierklinik ist vollkommen überlastet. Aber die Lösung, die Dr. Hase vorgeschlagen hat, ist doch gut«, entgegnet Sophie voller Elan. »Wir kümmern uns um den Uhu, bis er gesund ist.«

»Dann fahren wir also morgen zum Falkner?«, fragt Mia. Sie zieht ihre Hausschuhe aus und legt sich auf den Wohnzimmerteppich.

Stella legt sich zu ihr und spielt mit ihren Puppen.

»Ja. Er wird uns bestimmt weiterhelfen mit dem Uhu«, sagt Mias Papa. Er zwinkert Mia zu und versteckt sich dann unter der Decke.

»Papa ist versteckt«, sagt Stella undeutlich.

»Papa, wo bist du?«, ruft Mia und grinst ihre kleine Schwester an.

»Hier«, ruft Papa durch die Wolldecke.

»Komm, Stella, wir suchen Papa!«, sagt Mia und ergreift Stellas Hand. Stella geht zum Sofa und klatscht mit beiden Händen auf die Decke.

»Oh, die Decke ist aber knüdelig«, ruft Mia theatralisch, bevor sie Papa durchkitzelt. Stella lacht laut auf und versteckt sich ebenfalls unter der Decke.

***

»Ich bin wirklich sehr nervös«, gibt Mia zu. Sie zupft

noch einmal ihren Rock zurecht und überprüft den Sitz ihrer Bluse, als ihr Name fällt.

»Herr Knabe fehlt mir jetzt schon«, sagt Amelie leise.

»Mir auch«, entgegnet Mia im Flüsterton.

»Mia, komm bitte auf die Bühne!« Eine füllige Frau mit mittellangen, blonden Haaren und gepunktetem Sommerkleid winkt Mia zu sich. Sie reicht ihr die Hand und schiebt sie dann in Richtung Bühne, wo bereits mehrere Schüler stehen.

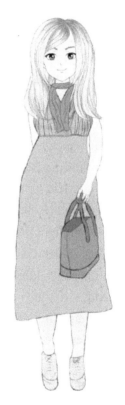

Die Frau ist Mias neue Klassenlehrerin und heißt Nina Cordes. Mia hat sie bereits auf dem Kennenlerntag vor den großen Ferien getroffen und da war sie sehr nett.

Mias Herz klopft gewaltig, als sie auf die Theaterbretter steigt.

Hoffentlich stolpere ich nicht, denkt Mia und versucht sich zu konzentrieren. Als sie oben steht, atmet sie erleichtert auf.

»Das sind ganz schön viele Zuschauer, was?«, sagt das Mädchen neben ihr.

Mia blickt sie an.

Ein bisschen erinnert sie das Sommersprossengesicht an Pippi Langstrumpf, auch wenn das Mädchen braune Haare hat, die zu zwei seitlichen Zöpfen geflochten sind und nicht ganz so sehr abstehen wie Pip-

pis Zöpfe. Und sie trägt eine riesengroße Brille.

»Ich bin übrigens Emma und freue
mich, dich kennenzulernen«, sagt
das Mädchen und grinst bis über
beide Ohren.

Mia geht das Herz auf.

Es ist ihr erster Tag am Gymnasium und schon hat sie ein nettes
Mädchen kennengelernt.

»Ich bin Mia«, antwortet Mia und
lächelt zurück.

»Freut mich.«

»Mich auch«, erwidert Mia und winkt Amelie zu, die nun
ebenfalls die Bühne betritt.

Als alle Kinder der Klasse 5b vorne stehen, klatschen die
Eltern und Großeltern im Publikum Beifall.

Die Schulleiterin, Marianne Hafer, spricht noch ein paar
Worte zu den Gästen, dann geht sie mit Mias neuer Lehre-
rin über die Bühne und schüttelt jedem neuen Schüler die
Hand.

Ein Junge mit langen Haaren aus der siebten Klasse spielt
noch ein weiteres Musikstück auf dem Klavier, dann
nimmt Frau Cordes ihre Schüler mit in den neuen Klassenraum.

Mia winkt ihren Eltern und Großeltern zu und lächelt nur
leicht verschämt, als ihr Papa ihr einen Luftkuss zupustet.

Innerlich verdreht sie die Augen.

Sie ist jetzt schon zehn Jahre alt.

Da will man in der Schule keine Küsschen mehr von den Eltern zugeworfen bekommen. Schon gar nicht, wenn die Aula voll ist mit fremden Menschen.

Wissen Eltern das nicht?

Mia ist der Luftkuss ziemlich peinlich und so hofft sie, dass niemand die Geste bemerkt hat.

»Na, Mialein, willst du deinem Papilein keinen Kuss zurückpusten?«, hört sie die Stimme eines Jungen, der ihr schon seit vier Jahren mächtig auf den Keks geht.

Mia dreht sich verärgert um. »Thomas Wietmüller, schade, dass du nicht zu doof warst, um auf diese Schule zu kommen.«

Thomas lächelt Mia abfällig an. »Dann hätte ich keine kleine, süße Baby-Mia in meiner Klasse gehabt, die noch Luftküsschen von ihrem Papa bekommt. Vermutlich liest er dir auch noch Gute-Nacht-Geschichten vor und pudert deinen Popo, wenn du auf Toilette warst.«

»Was bist du nur für ein netter Frauenheld? Hat dir *dein* Papa nicht beigebracht, dass man die Dame seines Herzens nicht beleidigt, sondern nach einer Verabredung fragt?«, mischt sich Emma ein.

Ihre braunen Augen blitzen aus ihrem sommersprossigem Gesicht heraus und für eine Millisekunde verschlägt es dem aufmüpfigen Thomas glatt die Sprache.

»Mit dir hat niemand gesprochen. Wie siehst du überhaupt aus? Wie Pippi Langstrumpf mit Nasenfahrrad«, blafft Lennard.

Emma lächelt ruhig und schaut Mias langjährigen Klassenkameraden von oben bis unten an. Dann beugt sie sich vor und sagt leise: »Dann pass mal auf, dass ich nicht auch noch so stark bin wie Pippi Langstrumpf, und euch mit einem Fingerstups an die Zimmerdecke befördere.«

Lennard und Thomas weichen ein Stück zurück.

»Bist du sein Sklave?«, fragt Emma Lennard ungeniert.

»Dann sag deinem Boss doch mal, er soll dir ordentliche Schuhe kaufen, die vorne kein Loch haben.«

Alle Kinder im unmittelbaren Umfeld bleiben stehen und schauen Lennard auf die Füße.

Tatsächlich sind seine Turnschuhe vorne kaputt und ein Stück seiner Socke guckt frech hervor.

»Das ist neueste Mode«, feixt Lucas und zwinkert Emma zu.

»Dann sollten wir vielleicht auch alle ganz solidarisch ein Loch in unsere Schuhe bohren«, ruft Emma leise.

Mia stutzt bei dem Wort ›solidarisch‹.

Sie hat keinen blassen Schimmer, was das heißt.

Thomas und Lennard offenbar auch nicht.

Thomas zieht Lennard verärgert davon. »Komm, die Mädels sind so blöd!«

»Eins zu Null für euch Mädels«, sagt Lucas und nickt anerkennend.

Emma lächelt und hebt den Daumen.

»Kinder, nicht quatschen, sonst kommen wir nie in unserem Klassenraum an!«, ruft Frau Cordes streng.

Die kleine Truppe setzt sich wieder in Bewegung.

»Du?«, wagt Mia sich vor.

»Ja?« Emma blickt sie freundlich an.

»Was bedeutet ›*solidarisch*‹?« Mia schaut sich um, ob sie auch niemand hört, aber alle sind mit dem Weg zum neuen Klassenzimmer beschäftigt.

Emma lächelt und beugt sich zu Mia hinüber. »Das heißt, dass man füreinander einsteht. Wie die Musketiere. Einer für alle und alle für einen.«

Mia nickt. »Das finde ich toll. Ich kenne die Musketiere zwar nicht, aber sie gefallen mir jetzt schon.«

Sie betreten den Klassenraum.

»Setzt euch, Kinder! Husch, husch. Zeit ist Geld«, ruft Frau Cordes.

Einige Kinder stöhnen.

»Da hat die Schule kaum angefangen und die Lehrerin stresst jetzt schon herum«, brabbelt Michael leise vor sich hin.

»Kennst du den?«, fragt Emma leise. Sie setzt sich links neben Mia auf einen freien Platz. »Er sieht aus, als wenn er zu viele Schokoladenbrote nascht.«

Amelie und Nils setzen sich rechts von Mia an den angrenzenden Tisch.

»Ja, das ist Michael. Er war in unserer Grundschulklasse«, kommt Amelie Mia zuvor. »Und er hat eine Schwäche für Leberwurst- und Salamibrote.«

Emma streckt die Hand aus. »Ich bin Emma. Ihr müsst die Zwillinge sein, von denen man schon in Bärenklau gehört hat.«

Amelie bläst die Backen auf. »Echt? Warum das denn?«

»Man sagt, eure Eltern seien homosexuell.« Emma wackelt vielsagend mit den Augenbrauen.

»Dann pass mal auf, dass du dich nicht ansteckst«, feixt Nils.

Emma schneidet eine Grimasse. »Als wenn das ansteckend wäre! Pah! Wie ich sehe, bist du auch noch ein spaßiger Clown. Na, das kann ja heiter werden.«

»Nils ist harmlos«, mischt Mia sich ein. Sie holt ihre Schreibsachen heraus und wartet ebenso wie die Lehrerin darauf, dass alle Kinder sitzen.

»Wir haben zwei Mütter und einen schwulen Papa«, sagt Amelie schließlich. Obwohl sie es schon gewohnt ist, von ihrer Regenbogenfamilie zu sprechen, errötet sie.

»Wow, das finde ich toll«, sagt Emma. Ihre Zöpfe wackeln keck hin und her, während sie ihr sommersprossiges Gesicht zu einem breiten Grinsen verzieht.

»Echt, warum?«, platzt Nils heraus.

»Na, das ist doch mal was anderes als nur das langweilige Mama-Papa-Kind-Spiel. Ich habe eine ziemlich langweilige Familie.«

»Bist du etwa auch schwul?«, platzt Michael heraus.

Emma blickt auf sein Leberwurstbrot, das er versteckt unter dem Tisch hält. »Erstens, bin ich kein Junge und kann daher nur lesbisch sein, und zweitens, hast du jetzt nicht ernsthaft vor, dein stinkendes Brot hier neben mir zu verdrücken, oder?«

Michaels Pausbacken werden puterrot.

Unsicher schaut er auf sein Brot.

Emma zieht demonstrativ die Augenbrauen hoch. »Leg das ganz schnell wieder weg, wenn du keine Feindschaft mit mir willst! Husch, husch, dein Brot muss zurück ins Körbchen!«

Mia und Amelie lachen leise.

»Ich glaube, schon in der Grundschule gab es keinen Tag, an dem er und Jonny die blöden Leberwurstbrote nicht heimlich unter der Bank gemampft haben«, sagt Mia leise.

Emma verdreht die Augen. »Oh mein Gott, dann ist er ja schon darauf programmiert. Das wird ein hartes Stück Arbeit, ihm das wieder auszutreiben.«

»Keine Angst, ich setze mich gleich morgen auf einen anderen Platz«, knurrt Michael beleidigt.

Emma klopft ihm auf die Schulter. »Das musst du nicht. Du kannst ja nichts dafür, dass du schlecht erzogen wurdest.«

Sprachlos klappt Michael der Unterkiefer auf.

»Klappe zu, sonst werden die Milchzähne kalt«, lacht Emma leise.

»Emma Rosenstein, was gibt es da zu quatschen?«, ruft Frau Cordes.

Emma setzt eine Unschuldsmiene auf und streckt ihren Rücken durch. »Nichts, Frau Cordes. Wir haben nur versucht, die Sitzplatzfrage zu klären.«

»Vielleicht darf ich euch dabei behilflich sein? Wenn ihr schon am ersten Tag quatscht, dann setze ich euch lieber gleich auseinander.« Frau Cordes zeigt auf Linda. »Wie war dein Name noch gleich? Linda…?«

»Linda Kamm«, hilft ihr Linda aus.

»Ja, danke, Linda. Tausche doch bitte den Platz mit Michael. Ich dulde keine Privatgespräche während des Unterrichts.«

Michael verstaut in Windeseile sein Leberwurstbrot und schmiert dabei versehentlich die Hälfte des Aufstrichs auf seine neuen Hefte.

Emma schnalzt leise mit der Zunge. »Micha, Micha, was bist du nur für ein Tollpatsch!«

Michaels Kopf ist so rot wie ein Tomate.

Ächzend erhebt er sich und schleift seinen übervollen Schulranzen durch das Klassenzimmer.

Leise stöhnend lässt sich Linda neben Emma nieder.

»Freut mich. Ich bin Linda.«

»Ganz meinerseits. Emma.«

Streng sieht Frau Cordes die Mädchen an.

»Wir mussten uns nur miteinander bekannt machen, Frau Cordes«, kontert Emma.

Still mustert Mia ihre Banknachbarin.

Wie mutig Emma ist, denkt sie bewundernd. Und sie hat immer einen passenden Spruch auf den Lippen.

So schlagfertig wäre sie auch gerne. Aber meistens fallen

ihr die guten Sätze immer erst viel später ein, wenn die Situation längst vorbei ist.

Ob man das wohl üben kann?

Bevor Mia weiter darüber nachdenken kann, redet Frau Cordes über den Ablauf der ersten Woche.

Die Stunde geht rasend schnell vorbei.

Als es klingelt, bittet Frau Cordes die Schüler, noch auf ihren Plätzen sitzen zu bleiben. »Ich habe hier noch eine Broschüre bekommen, die kostenlos zur Verfügung gestellt wurde.« Sie geht durch die Reihen und gibt allen Schülern eine dicke Mappe. »Das ist Material für den Unterricht. Es geht hier um Tierschutz und die unsagbar schlechten Zustände in Zirkussen und Zoos. Außerdem sollten Jägern in unseren Wäldern abgeschafft werden. Wir werden uns die Mappen morgen einmal gemeinsam angucken.«

Entgeistert starrt Mia auf die Unterlagen. »*TOGA6 möchte Schülern die phantastische Welt der Tiere zeigen*«, liest sie leise vor. »Das ist nicht ihr Ernst, oder?« Sie schlägt die ersten Seiten auf und zuckt erschrocken zurück. »Schon wieder das Thema ›Tierquälerei‹. Nimmt das denn überhaupt kein Ende?«

Emma zuckt mit den Schultern. »Ich kann mir nicht vorstellen, dass das legal ist.«

Mia blickt auf. »Wie meinst du das?«

»Nun, meine Mutter war Lehrerin. Daher weiß ich, dass

---

6 TOGA steht für ›Tierschutzorganisation‹, also Menschen, die sich zum Schutz der Tiere zusammengetan und einen Verein gegründet haben.

es eigentlich verboten ist, jegliche Werbung und Broschüren in der Schule an Schüler zu verteilen.«

»Cool, da ist sogar eine DVD drin«, ruft ein Schüler.

»Schaut euch das Material zuhause mit euren Eltern in Ruhe an. Wir reden morgen in aller Ruhe darüber«, ruft Frau Cordes über das Stimmengewirr hinweg.

***

»Das ist ja eine Frechheit! Die sind kriminell!« Voller Empörung knallt Sophie Maibaum den Topf Spaghetti auf die Arbeitsplatte.

»Sophie! Was ist denn mit dir los?«, ruft Mias Papa erschrocken. Er ist soeben nach Hause gekommen und sieht seine Frau in der Küche toben.

Mit hochrotem Kopf dreht sich Sophie zur Tür. »Schau dir bitte mal an, was Mia aus der Schule mitgebracht hat! Das ist so eine bodenlose Unverschämtheit!«

Mia nimmt die Broschüre von ›TOGA‹ vom Tisch und reicht sie ihrem Papa.

Staunend schlägt dieser die Mappe auf. »Das klingt ja ganz vernünftig…«

»Was?«, fährt Sophie dazwischen.

»*Was du nicht willst, das man dir tu', das füg' auch keinem anderen zu*«, liest Mias Papa vor.

»Das ist aber auch das einzige, was in diesem Schundblatt für Kinderohren geeignet ist. Was glauben die eigentlich, wer sie sind? Sie erklären jungen Menschen, dass Jäger überflüssig sind, dass man kein Fleisch essen soll, wenn man ein Tierfreund ist und dass Tiere im Zirkus einem frühen Tode geweiht sind.« Sophie wischt sich den Schweiß von der Stirn. »Ich bin auch eine Tierschützerin und esse nur wenig Fleisch. Aber ich finde nicht, dass man Kindern Lügen auftischen sollte.«

»Woher hast du dieses Heft?«, fragt Mias Papa.

Sophie, die als Lehrerin an einer Grundschule arbeitet, schnauft empört. »Frau Cordes hat das Heft verteilt. Sie will das im Unterricht besprechen.« Sophie dreht sich weg. »Mia, du deckst bitte den Tisch!«

Mia geht zum Besteckkasten und holt Löffel und Gabel heraus. »Frau Cordes hat uns das am Ende der Stunde gegeben. Sie hat gesagt, das, was sie in dem Heft schreiben, besprechen wir morgen im Unterricht. Euch sollen wir das schon einmal zeigen.«

Tom Maibaum legt die Mappe auf einen Schrank.

»Dann warten wir doch mal ab, was deine neue Klassenlehrerin mit dem sehr anschaulichen Material vor hat.«

»Genau. Und da ich als Elternteil wissen möchte, was sie plant, werde ich mich morgen mit in den Unterricht setzen und zuhören«, sagt Sophie zu Mias Schrecken.

»Meinst du das ernst?«

»Ja.« Wild entschlossen klatscht ihre Stiefmama die Spaghetti auf den Teller. Dabei fliegt ihr die Hälfte daneben.

Mias Papa nimmt ihr die Nudelkelle aus der Hand. »Ich glaube, ich fülle heute besser das Abendessen auf! Du verscheuchst ja noch die schüchternen Spaghetti, so verärgert bist du.«

»Zu recht, mein Lieber. Es ist verboten, so auf Schüler einzuwirken.« Sophie fängt Stella ein und pflanzt sie in den Hochstuhl.

Stella gefällt das überhaupt nicht.

Sie wehrt sich mit Händen und Füßen dagegen, aber Sophie ist heute nicht in der Stimmung für Trotzköpfe.

»Du setzt dich mit an den Tisch, junge Dame! Keine Widerrede! Jetzt wird gegessen! Spielen kannst du danach.«

So wütend hat Mia Sophie noch nie erlebt.

Eingeschüchtert setzt sie sich an den Tisch und nimmt ihren Teller entgegen. »Muss ich jetzt auf Fleisch verzichten, wenn ich ein Tierfreund bin?«, rutscht es ihr heraus, bevor sie weiter darüber nachdenken kann.

Sophie schnalzt empört mit der Zunge. »Siehst du, Tom!« Sie klopft ihrem Mann auf die Schulter. »Siehst du! Das ist das Ergebnis von solchen Aktionen angeblicher Tierschützer! Jetzt überlegt unsere Tochter schon, ob sie noch Spaghetti mit Bolognesesoße essen darf.«

Tom Maibaum gibt Sophie einen Kuss und tätschelt Mias Hand. »Keine Sorge, die Damen! Wir werden auch weiterhin noch Fleisch essen dürfen. Auch wenn wir alle Tierfreunde sind, so bleiben wir doch Allesfresser.«

Unsicher blickt Mia auf ihren Teller. Die tomatige Fleischsoße gehört zu ihren absoluten Lieblingsspeisen.

»Mia-Süße, nun iss doch bitte! Dein Vater hat Recht. Die Natur hat den Menschen nicht als Vegetarier erschaffen«, sagt Sophie.

»Und wenn ich kein Fleisch mehr essen will?«, fragt Mia leise nach.

»Dann koche ich eben Gemüse für dich und habe dich noch genauso lieb«, sagt Sophie und gibt ihrer Stieftochter einen Kuss auf die Stirn.

Stella nimmt ihren Löffel und bohrt damit in ihre zerkleinerten Spaghetti. Sie schnippt den Löffel herum und katapultiert den Inhalt ihres Abendessens genau in Mias Hochsteckfrisur.

Vergnügt quietscht Stella auf und klatscht in die Hände.

Mia schüttelt den Kopf. »Nein, Stella, mit Essen spielt man nicht. Das musst du e-s-s-e-n.«

Stella schaut auf ihren Teller, als müsste sie erst noch darüber nachdenken. Dann probiert sie ein paar Spaghetti.

»Wie kannst du dir eigentlich so sicher sein, dass wir keine Pflanzenfresser sind? Emma hat heute erzählt, dass sie Vegetarierin ist. Ihr Vater ist Veganer und ihre Tante isst sogar nur Obst, das vom Baum gefallen ist. Total verrückt, sage ich euch.« Mia schüttelt den Kopf.

»Wer ist Emma?«, fragt Sophie neugierig.

»Eine neue Klassenkameradin. Sie sitzt neben mir und ist sehr nett. Mutig und keck. Sie sieht übrigens aus wie Pippi Langstrumpf. Nur mit Brille und heilen Klamotten«, antwortet Mia.

Sophie grinst. »Dann erinnere ich mich an sie. Und ihre Tante ist Frutarier?«

»Was, zum Henker, soll das nun schon wieder sein?«, stöhnt Mias Papa und fasst sich theatralisch an den Kopf.

»Das sind Menschen, die nur das essen, was vom Baum gefallen ist, weil sie keine Pflanzen töten wollen. Fallobst, Nüsse, Samen, abgestorbenes Getreide«, erklärt Sophie und schiebt sich genüsslich einen Löffel mit Spaghetti und Soße in den Mund. »Das könnte mir wirklich nie passieren.«

Mias Papa schüttelt den Kopf. »Die Leute haben doch echt ein Luxusproblem, oder? Schlimm genug, dass es so viele Vegetarier und Veganer gibt. Aber Frutarier sind jawohl zum Aussterben verurteilt. Wenn wir in der Wildnis irgendwo im tiefsten Dschungel oder in der Wüste leben würden, dann müssten diese Spinner auch Pflanzen und sogar Fleisch essen. Aber hier in unserem Wohlstandsland drehen die Menschen echt durch.«

»Tom, sag nicht ›Spinner‹, wenn unsere Kinder am Tisch sitzen«, ermahnt Sophie Mias Papa. »Ich kenne sehr viele Vegetarier und das sind sehr nachdenkliche und herzliche Menschen. Jeder sollte so leben, wie es für ihn am angenehmsten ist.«

»Entschuldige! Du hast Recht«, antwortet Tom Maibaum zerknirscht.

»Um auf deine Frage zurückzukommen, liebe Mia, bin ich mir da ziemlich sicher. Wir Menschen sind nachweislich Allesfresser. Die Zähne und der Verdauungstrakt, also Magen und Darm, deuten eindeutig darauf hin, dass der

Mensch sowohl Pflanzen, als auch Fleisch isst. Allein unser Großhirn ist ein absoluter Energiefresser. Vegetarier müssen sich Vitamin B12 künstlich einverleiben, weil das für den Menschen lebenswichtig ist. Sonst wäre das Gehirn unterversorgt.«

»In Fleisch sind Vitamine?«, fragt Mia verwundert nach.

Sophie nickt. »Ja. Und soweit ich informiert bin, hat man nur in einigen Pilzsorten Vitamin B12 gefunden und die sollte man aufgrund ihres Giftes nicht essen.«

»Was ist mit Algen?«, wirft Mias Papa ein.

Mia verzieht das Gesicht. »Igitt! Algen kann man essen? Diese grünen, glibberigen, schleimigen Wasserpflanzen?«

Mias Papa lacht und nickt.

Stella lacht auch, weil Papa lacht.

»Man kann Algen tatsächlich essen. Aber soweit ich weiß, ersetzt das die Vitamine, die man im Fleisch hat, nicht«, sagt Mias Papa.

»Ich esse gerne Fleisch. Aber wenn Emma das nicht essen will, finde ich das in Ordnung«, sagt Mia schließlich.

»Genau, Mia! Jeder soll so leben, wie er es für richtig hält«, stimmt ihr Papa ihr zu. »Und nun essen wir. Guten Appetit!«

Zirkuskinder

»Guten Morgen, liebe Schüler«, sagt Frau Cordes und wirft ihre Tasche auf das Lehrerpult.

»Guten Morgen, Frau Cordes.«

»Holt bitte eure Hausaufgabenhefte hervor. Wir schreiben heute den Stundenplan auf. Bei mir werdet ihr Biologie, Ethik und Kunstunterricht haben.«

Bevor die Lehrerin mit dem Unterricht beginnen kann, klopft es an der Tür.

»Herein!«, ruft die Lehrerin mit ihrer kräftigen Stimme.

Ein Mädchen wird von der Schulleiterin in den Klassenraum geschoben. »Frau Cordes, Sie haben für die nächsten zwei Wochen eine neue Schülerin.«

»›Für die nächsten zwei Wochen‹? Warum nicht für das gesamte Schuljahr?«, fragt Frau Cordes überrascht.

Frau Hafer lächelt entschuldigend. »Die junge Dame kommt aus dem Zirkus. In zwei Wochen reist der Zirkus weiter.«

Krampfhaft überlegt Mia, ob das Mädchen aus dem ›Circus Diadem‹ kommt, als Frau Cordes sie energisch zur zweiten Bank schiebt, denn neben Linda ist noch ein Platz frei.

»Wie heißt du denn überhaupt?«, fragt sie.

»Ich heiße Tina Ramsi«, antwortet das

Mädchen schüchtern. »Ich komme vom ›*Zirkus Ramsi*‹.«

»Nie gehört. Was soll das denn sein? Zirkus für Arme?«, grunzt Thomas und bringt Lennard zum Lachen.

Tina zuckt mit den Schultern und schweigt.

»Ist das der kleine Zirkus am Stadtrand?«, fragt Linda freundlich.

Tina nickt und holt schweigend eine schäbige Federtasche und ein zerfleddertes Schreibheft heraus.

»Wozu gehst du eigentlich in die Schule? Habt ihr keine Privatlehrer?«, flüstert Lennard ihr zu.

Tina schüttelt den Kopf. »Das können wir uns nicht leisten.«

»Dann musst du ja alle zwei Wochen umziehen und in eine neue Schule gehen?« Lennard pikst Tina von hinten in den Rücken.

Tina reagiert nicht.

Sie starrt einfach auf die leere Tafel.

»So, Kinder, halten wir uns nicht lange auf. Wir haben viel vor in diesem Schuljahr. Als erstes schreibe ich euch euren Stundenplan an die Tafel und ihr schreibt ihn ab«, sagt Frau Cordes.

Die Schüler stöhnen.

Abschreiben ist nicht nur extrem langweilig, sondern auch stressig, denn man muss immer zusehen, dass man den Anschluss nicht verpasst.

»Keine Müdigkeit vortäuschen, Kinder! Auf, auf! Fangen wir mit dem Montag an…«

Nach einer halben Stunde läutet es endlich zur Pause.

Mia, Amelie, Linda und Emma setzen sich auf ihren Tisch

und holen ihre Frühstücksboxen heraus, während Tina schweigend auf ihrem Platz sitzen bleibt und auf die Tischplatte starrt.

»Tina, warum versuchst du, mit dem bloßen Auge Löcher in die Tischplatte zu bohren, wenn du mit uns Spaß haben könntest?«, witzelt Emma.

Tina blickt auf. »Was habt ihr für Spaß?«

»Die Mädels essen«, wirft Thomas ein und klingt dabei fast ein wenig zu nett.

Misstrauisch beäugt Mia ihren alten Klassenkameraden. Was führt er im Schilde?

Thomas ist nie nett.

»Hast du kein Essen mit?«, fragt Lennard.

Tina schüttelt den Kopf.

Emma wirft ihr einen Schokoladenriegel zu. »Hier, iss, damit du so groß und stark wirst wie ich.«

Tina lächelt sie zaghaft an. Dann reicht sie ihr den Schokoladenriegel zurück. »Vielen Dank, aber ich habe einen strengen Diätplan. Ich bin Akrobatin. Ich muss schlank bleiben.«

»Du bist ein Kind! Kinder müssen essen«, sagt Emma fast ein wenig beleidigt.

»Wie wäre es mit einem Wiener Würstchen, Tina?«, frotzelt Thomas. »Oder bist du etwa Vegetarierin wie unsere Emma hier?«

Emma wirft ihm einen finsteren Blick zu. »Du hast uns belauscht?«

Thomas zuckt mit den Schultern. »Und wenn schon. Ist ja nicht verboten. Oder ist es ein Geheimnis, dass du Pflanzenfresser bist?«

Emma grunzt nur.

»Ist es nicht ein blödes Gefühl, wenn du alle paar Wochen mit dem Zirkus weiterreist und in eine andere Schule gehen musst?«, wendet sich Linda an Tina. Sie hat keine Lust auf die Streitereien von Emma und Thomas.

Die junge Akrobatin zuckt mit den Schultern. »Ich kenne es nicht anders.«

»Die wievielte Schule ist das für dich?«, will Nils wissen.

Tina hebt ihre Hand und tut so, als würde sie rechnen. »Bei der fünfzigsten Schule habe ich aufgehört zu zählen. Aber ich glaube, es waren so etwa siebzig.«

Mia und den anderen Schülern fallen fast die Augen aus dem Kopf.

»Du warst auf *siebzig* Schulen?«, platzt Thomas heraus. »Du meine Güte, kann man das aushalten?«

»Das wäre doch was für dich, Thomas! Du wechselst doch auch so gerne die Schule«, witzelt Linda.

»Sehr witzig. Ich habe noch nie die Schule gewechselt. Und in der zweiten Klasse wollte ich nur wechseln, weil Mias Papa ja unsere Klassenlehrerin weggeschnappt hat«, brummt Thomas verärgert. »Und dann hat Frau Biber auch noch ein Baby bekommen.«

Mia verschränkt wütend die Arme vor der Brust. »Sag nichts gegen meine Schwester. Stella ist toll.«

»Deine Schwester ist keine zweieinhalb Jahre alt«, hat Lennard eilig nachgerechnet, »in dem Alter sind alle Geschwister süß. Aber warte mal ab, wenn sie anfängt, dir alles kaputt zu machen. Sie wird dich nerven, bis du mit ihr spielst, auch wenn du lieber mit deinen Freunden spielen würdest.«

»Da spricht ja jemand aus Erfahrung, was?«, sagt Emma und zieht die Augenbrauen hoch.

»Na und? Mein jüngerer Bruder ist eine lästige Zecke. Er will ständig Babyspiele spielen oder macht meine Sachen kaputt«, entgegnet Lennard mürrisch.

»Du bist gemein«, mischt sich nun auch Amelie ein. »Familie ist wichtig. Die Welt ist so grausam, da muss man wenigstens in der Familie zusammenhalten.«

»Auf welchem Harmonie-Planeten lebst du denn, Amelie? Zeig mir die Familie, die zusammenhält!«, sagt Thomas verschnupft.

»Wir halten zusammen«, sagt Mia.

»Wir auch«, platzen Nils und Amelie gleichzeitig heraus.

»Wir auch«, sagt nun auch Tina schüchtern.

»Wer gehört denn alles zu deiner Familie, Tina?«, sagt Thomas. Er bemerkt die Blicke der Mädchen und wird puterrot im Gesicht. Schnell winkt er ab. »Ach, will ich gar nicht wissen…«

Emma grinst bis über beide Ohren. »Natürlich nicht. Es sieht doch ein Blinder mit Krückstock, dass du in Tina ganz verschossen bist.«

Thomas hebt die Faust. »Quatsch! Wage es nicht, so einen Blödsinn über mich zu erzählen!«

Emma zuckt lässig mit der rechten Schulter. »Mich kannst du nicht einschüchtern. Die Macht der Vegetarier ist mit mir.«

»Wohl eher die Macht der Spinner«, mischt sich Lennard ein.

Emma schießt ihm einen finsteren Blick zu. »Du hältst dich daraus, wenn sich zwei unterhalten.«

Die beiden Jungs ziehen verärgert ab.

»Die sind wir los. Vorerst«, sagt Lucas erleichtert.

»Hast du Geschwister?«, wendet sich Mia an Tina.

Tina nickt. »Mein jüngerer Bruder ist vier und mein älterer Bruder ist sechzehn.«

»Geht er auch hier zur Schule?«, fragt Amelie neugierig.

Tina schüttelt den Kopf. »Nein. Er ist schon fertig mit der Schule.«

»Dann ist es wohl doch nicht so toll, wenn man hundert Schulen besucht, was?«, platzt Lucas heraus.

Tina schweigt.

Sie dreht sich weg und zeigt ihren neuen Mitschülern deutlich, dass sie die Unterhaltung nicht fortsetzen will. Das muss sie auch nicht, denn es klingelt bereits zur nächsten Stunde.

***

»So, liebe Schüler, dann holt mal die Unterrichtsmappe von der Tierschutzorganisation heraus, die ich euch ausgeteilt habe«, sagt Frau Cordes. Sie blickt sich in der Klasse um, als sie plötzlich Sophie Maibaum entdeckt. »Entschuldigung, was machen Sie denn hier in meinem Klassenzimmer?«

Mias Stiefmama setzt sich aufrecht hin und lächelt.

Dann zeigt sie auf die Mappe, die die Lehrerin vorgestern an die Schüler ausgeteilt hat. »Sie besprechen doch jetzt sicherlich diese…wie haben Sie zu den Kindern gesagt? ›Unterrichtsmappe‹?«

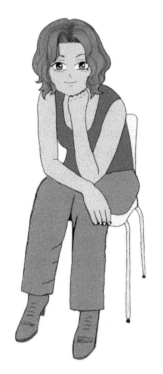

Frau Cordes errötet leicht. »Und wer sind Sie, wenn ich fragen darf?«

»Das ist Mias Aufpasser«, knurrt Thomas leise.

»Vielen Dank für die Vorstellung, Thomas. Ich sehe, du bist noch ganz der Alte«, kontert Sophie Maibaum. Dann wendet sie sich an die neue Klassenlehrerin ihrer Stieftochter. »Ich bin Sophie Maibaum, die Mutter von Mia.«

»Sind Sie nicht auch Lehrerin?«, hakt Frau Cordes nach.

»Ja.«

»Und warum sind Sie nicht an Ihrer Schule und unterrichten?«

»Ich unterrichte erst wieder in zwei Stunden.« Sophie Maibaum deutet auf die Mappe von der ›TOGA‹. »Können Sie mir erklären, warum Sie den Schülern Material aushändigen, obwohl das in Schulen verboten ist?»

Frau Cordes verschluckt sich vor Schreck.

Hustend klammert sie sich an ihrem Stuhl fest.

Es vergehen einige Sekunden, bevor sie antworten kann. »Das…ist…wichtig.«

»Wichtig? Für wen? Für Sie?« Sophie Maibaum blättert in der Broschüre herum. »Ich sehe hier nur Ineinflussnahmen der Schüler…«

»Wie bitte?« Frau Cordes ringt noch immer um Luft.

»Sie versuchen die Schüler zu beeinflussen! Sie verteilen Material von angeblichen Tierschützern und wollen den Kindern damit ein schlechtes Gewissen machen, wenn sie Fleisch essen oder in den Zirkus gehen wollen«, sagt Mias Stiefmama reichlich verärgert. Sie steht auf und haut mit der Broschüre auf den Tisch. »Da sind richtig schreckliche Bilder zu sehen. Das hat doch nichts mit Tierschutz zu tun. Das lasse ich nicht zu. Wenn Sie nicht augenblicklich alle Mappen einsammeln, werde ich den Vorfall der Schulbehörde melden.«

Frau Cordes schluckt. Nervös reibt sie sich über die Augenbrauen. »Es ist nichts Verbotenes daran, Kinder aufzuklären.«

»Oh, da stimme ich Ihnen voll zu! Kinder müssen aufgeklärt werden. Schließlich sind sie die Erwachsenen von morgen. Aber diese Broschüre hat nichts mit Aufklärung zu tun. Darin werden Lügen verbreitet. Sie hätten doch auch Infomaterial von anderen Vereinen austeilen können. Vereine, die Geld sammeln, um Wildhüter auszubilden und Reservate einzurichten. Aber keine Vereine, die Terror, Angst und Schrecken verbreiten.«

»Es ist doch keine Lüge, wenn man Kindern vor Augen führt, wie schlecht Tiere behandelt werden«, versucht sich

Frau Cordes zu verteidigen.

»Tiere werden doch nicht überall schlecht behandelt, Frau Cordes. Sicherlich gibt es schwarze Schafe. Aber die sortiert der Amtstierarzt aus. Und bei Zirkussen das Publikum, das nicht mehr hingeht.« Sophie schnauft.

Frau Cordes grunzt.

Plötzlich klopft es an die Tür.

Frau Cordes zuckt zusammen. »Mensch, in dieser Klasse geht es ja bunter zu als in einem Taubenschlag. Herein!«

Die Sekretärin bringt noch eine weitere Schülerin. »Frau Cordes, das ist Toulouse Diadem. Sie wird bis zum März in diese Klasse gehen. Der Zirkus möchte hier in der Nähe dauerhaft sein Winterquartier aufschlagen.«

»Gott, müssen denn alle Zirkuskinder gerade zu mir kommen?«, fragt Frau Cordes reichlich genervt.

»Sie mögen also keine Zirkusse«, stellt Sophie fest. »Das ist Ihr gutes Recht, Frau Cordes, ich bin auch kein Freund von Zirkussen. Aber die Zirkuskinder können nichts dafür. Seien Sie nett zu ihnen!«

»Wenn ich sie anblicke, muss ich aber ständig daran denken, wie schlecht die Zirkusse mit ihren Tieren umgehen«, kontert Frau Cordes mit angesäuerter Miene.

Toulouse geht ins Klassenzimmer und funkelt ihre neue Lehrerin verärgert an. »Im Zirkus ›*Diadem*‹ ist man gut zu seinen Tieren«, ruft sie aufgebracht.

»Woher willst du das wissen?«, fragt Frau Cordes verärgert.

Toulouse stemmt die Hände in die schmalen Hüften. »Ich bin im Zirkus geboren und aufgewachsen. Wir haben immer schon Elefanten, Pferde und Kamele gehabt. Es geht den Tieren gut bei uns. Sie sind friedlich und ausgeglichen. Wir haben noch nie Unfälle mit aggressiven Tieren gehabt.«

»Wir haben auch ein paar Tiere. Aber nur Hühner, Schafe und Schweine«, mischt sich nun Tina ein.

Neugierig wirft Toulouse ihr einen Blick zu. »Woher kommst du?«

»›*Zirkus Ramsi*‹«, antwortet Tina.

Toulouse lächelt. Dann geht sie mit ausgestreckter Hand auf Tina zu, schüttelt ihr die Hand und lässt sich seufzend neben ihr auf dem freien Platz nieder. »Hallo Kollegin! Ist ›*Zirkus Ramsi*‹ nicht der Zirkus, der plant, bald nur noch in die Schulen zu gehen und dort mit den Schulkindern Vorstellungen zu veranstalten?«

»Ja, das Schulprogramm starten wir nächstes Jahr«, sagt Tina. »Es kommen einfach zu wenig Besucher in unseren Zirkus. Darum stellen wir um.«

»Tolle Idee! Ich bin übrigens vom ›*Circus Diadem*‹.«

»Ihr habt Schweine in eurem Mini-Zirkus?«, ruft Michael

leise. »Und ich dachte, die sind nur gut für Leberwurst-brote.«

»Schweine sind hochintelligente Tiere«, sagt Frau Cordes pikiert. »Und darum haben sie in einem Zirkus auch nichts zu suchen. Oder auf dem Brot.«

»Und was ist mit dem Bauernhof? Da sind die Schweine doch auch eingesperrt«, ruft Linda dazwischen.

»Genau. Und im Schweinestall haben sie keine sinnvolle Beschäftigung. Da fressen sie nur und werden irgendwann geschlachtet. Dann wird Leberwurst aus ihnen gemacht. Das ist doch noch viel schlimmer, als wenn sie im Zirkus leben und Kunststücke vorführen würden«, sagt Nils.

»Genau. Im Zirkus isst niemand seine Tiere«, wirft nun auch Thomas ein.

»Thomas, was ist denn mit dir los?«, fragt Mia verwundert. »Du verteidigst den Zirkus?«

Thomas zuckt mit den Schultern. Dann sagt er kaum hörbar: »Ich liebe den Zirkus. Aber erzähle es nicht weiter.«

Erstaunt blickt Mia ihren Klassenkameraden an.

»Darum gehören Tiere auch nicht auf einen Bauernhof und schon gar nicht aufs Brot«, erwidert Frau Cordes.

»Wir würden nicht hier stehen und uns unterhalten, Frau Cordes, wenn unsere Vorfahren die Tiere nicht ›domesti-ziert‹[7] hätten…«, mischt sich nun Mias Stiefmutter wieder ein.

»Was heißt das?«, fragt Mia. »›Domestiziert‹ ist ein komisches Wort.«

---

[7] Domestizieren bedeutet, aus wilden Tieren Haustiere zu machen.

Sophie lächelt. »Das heißt, mein Schatz, wenn unsere Großväter und Urgroßväter keine Schweine, Ziegen, Pferde und Kühe gezähmt und in Ställen gehalten hätten, hätten wir nicht genug zu essen gehabt und wären heute vielleicht gar nicht mehr am Leben.«

»Ich bin Vegetarier. Und ich lebe auch«, sagt Emma selbstbewusst.

»Natürlich lebst du«, wirft Sophie ein. »Es ist heutzutage ja auch überhaupt kein Problem, ohne Fleisch auszukommen. Du kaufst dir Vitamin B12, welches wir im Fleisch vorfinden und dringend brauchen, einfach in Tablettenform im nächsten Supermarkt. Aber noch vor einhundert Jahren wärest du elendig verhungert«, fügt Sophie hinzu.

Emma grunzt und verdreht die Augen.

»Wird das jetzt eine Grundsatzdiskussion von Fleischfressern und Vegetariern?«, mischt sich Frau Cordes ein.

»Diese Diskussion haben Sie losgetreten, Frau Cordes. Aber meine Frage haben Sie noch immer nicht beantwortet. Sammeln Sie die Mappen wieder ein?« Sophie Maibaum steht mit verschränkten Armen im Klassenzimmer.

Frau Cordes räuspert sich. »Nein. Ich bin nach wie vor der Meinung, dass diese Mappe wichtige Informationen enthält, die meine Schüler wissen sollten. Da werden die Kinder auch darüber aufgeklärt, dass Jäger keine Tiere erschießen sollten.«

»Gut, dann werden wir das Gespräch im Schulamt weiterführen«, erwidert Mias Stiefmama und rauscht verärgert aus dem Klassenzimmer.

Mit hochgezogenen Augenbrauen starrt Mia ihr nach.

Emma stupst ihre neue Freundin lächelnd an. »Deine Mama hat Feuer im Hintern. Das gefällt mir.«

»Echt? Ist das nicht etwas...peinlich?«, hakt Mia nach.

»Überhaupt nicht«, sagt Emma im Brustton der Überzeugung. »Ich hätte auch gerne so eine Mama.«

Besuch im Tierheim

»Netterweise hat sich ›*Circus Diadem*‹ bereit erklärt, uns für unser Ethikprojekt beiseite zu stehen. Wir gehen also heute alle in den Zirkus und machen eine Führung mit. Die Einverständniserklärung eurer Eltern habe ich bereits auf dem Elternabend eingeholt«, sagt Frau Cordes.

»Ich dachte, Sie hassen den Zirkus. Warum gehen wir dann dorthin?«, fragt Emma, ohne sich zu melden.

Frau Cordes zieht eine Grimasse. »Das tue ich auch. Aber das gehört zum Projekt. Ich will euch zeigen, dass Tiere dort nichts zu suchen haben. Allerdings wird nur eine Gruppe von acht Schülern in der Projektwoche im Zirkus arbeiten. Die anderen sind bei der Tierschutzorganisation von unserem Tierheim, die dritte Gruppe ist bei einem Bauernhof und die vierte Gruppe ist dem Amtstierarzt unterstellt.«

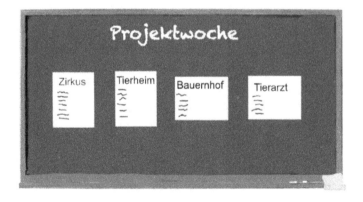

»Und wer geht wohin?«, fragt Michael neugierig.

»Ich habe mir erlaubt, euch einzuteilen, damit es keine Streitereien gibt«, erwidert Frau Cordes.

»Unsere Lehrerin macht sich immer unbeliebter«, wispert Emma Mia zu. »Ich glaube, die meisten von uns hätten gerne mitentschieden.«

Mia nickt.

Sie mag Frau Cordes auch immer weniger.

Alles entscheidet sie alleine und wer seine Hausaufgaben vergisst, der bekommt gleich eine Sechs eingetragen.

Besonders freundlich ist sie auch nicht mehr.

Sie ist eher ein Eisklotz.

»Du wirst immer auf Menschen treffen, die du nicht magst, Mia. Wir können uns unsere Mitmenschen leider nicht immer aussuchen«, hat Mias Oma ihr gestern gesagt, als sie ihr gebeichtet hat, dass sie ihre neue Klassenlehrerin langsam nicht mehr ausstehen kann.

»Mia, Emma, Amelie, Nils, Lucas, Thomas, Toulouse und Linda gehen in den Zirkus«, liest Frau Cordes von ihrer Liste ab.

Thomas grunzt. »Ach nee, nicht mit den Losern!«

»Thomas, zügele deine Zunge«, wirft Frau Cordes ein, bevor sie fortfährt und die restlichen Schüler einteilt.

Emma klatscht Mias Hand unter dem Tisch ab. »Wir haben das coolste Projekt.«

»So, dann nehmt eure Rucksäcke und versammelt euch im Flur. Wir starten heute mit dem Besuch beim Zirkus und morgen gehen wir dann zum Tierheim!«

***

»Das ist aber ein besonders hübscher Uhu«, sagt Christian König. Vorsichtig hebt der Falkner aus dem Nachbarort den Flügel des Uhus an.

Mia blickt sich um. Der Falkner hat eine Menge Vogelkä-
fige, in denen die unterschiedlichsten Vögel sitzen.

»Sie haben aber viele Vögel«, stellt Mia staunend fest.

»Einige sind mir verletzt gebracht worden und die pflege
ich gesund, bis ich sie wieder in die Freiheit entlassen
kann. Andere züchte ich hier«, antwortet Herr König.

»Von deinem Uhu ist der Flügel leider gebrochen.«

»Das hat Doktor Hase aus der Tierklinik bereits festge-
stellt«, sagt Mias Papa, »aber er hat keinen Platz mehr für
Fritz.«

»Fritz?« Der Falkner lächelt. Dann wendet er sich an Mia.

»Hast du ihm den schönen Namen gegeben?«

Mia nickt.

Neugierig mustert sie ihr Gegenüber.

Herr König hat schulterlange Haare und einen Spitzbart
wie König Drosselbart. Er hat freundliche blaue Augen,
die jedes Mal mitlächeln, wenn sich ein Lächeln auf seinen Lippen abzeichnet.

Nachdenklich streicht sich Herr König über den Bart.

»Wusstest du, dass Uhus noch vor siebzig Jahren vom
Aussterben bedroht waren?«

»Wirklich?« Erschrocken blickt Mia erst ihn, dann Fritz
an. Liebevoll streichelt sie den gefiederten Bauch. Das
gefällt dem Vogel.

»Ja. Es gab Mitte letzten
Jahrhunderts nur noch etwa
einhundert Uhupaare«, er-
zählt Herr König.

»Das ist aber wenig. Und wie
viele Uhus gibt es heute?«,
fragt Mia mit großen Augen.

Herr König holt ein kleines
Heft aus der Tasche. Darauf

ist ein Uhu abgebildet. »Heute sind es etwa tausend Uhupaare in Deutschland.«

»Und wie kommt es, dass sich die Zahl der Uhus so vermehrt hat?«, will Mias Papa wissen.

»Die ›*EGE*‹, also die ›*Gesellschaft zur Erhaltung der Eulen*‹, hat ein Projekt ins Leben gerufen«, antwortet Herr König. »Zoos haben ihren Uhunachwuchs zur Auswilderung vorbereitet und zur Verfügung gestellt. Die Leute vom Projekt haben die Tiere beobachtet, alles aufgeschrieben und dafür gesorgt, dass die Uhus auch in ihrem natürlichen Lebensraum leben können. Wenn die Uhus verletzt waren, wurden sie medizinisch versorgt.«

»Dann ist das ein Verein, der sich für den Tierschutz einsetzt?«, fragt Mia erstaunt.

Herr König lächelt über das ganze Gesicht. »Ja, genau. Du kennst dich aber gut aus. Ich bin auch ein Mitglied des Vereins.«

»Das finde ich toll«, sagt Mia und lächelt zurück.

Herr König deutet auf das kleine Buch in seinen Händen. »Das ist ein kleiner Leitfaden. Ich würde dir das Buch gerne mitgeben, damit du dich auch richtig um Fritz kümmern kannst.«

»Danke, das finde ich toll«, ruft Mia begeistert.

Sie hebt Fritz vom Holztisch und drückt ihn zärtlich an sich. Mit der Nase reibt sie über seinen Kopf.

Fritz schließt die Augen und drückt sich in Mias Arme.

»Er mag dich sehr. Wie lange ist er schon bei dir?«, fragt Herr König.

»Drei Tage«, antwortet Mias Papa und gähnt. »Und ich hatte gehofft, Sie würden ihn bei sich aufnehmen.«

»Das mache ich normalerweise auch«, sagt Herr König. »Aber zum einen sind meine Volieren momentan voll. Und zum anderen scheint Fritz Ihrer Tochter zu vertrauen.

Ich schätze sein Alter auf neun Wochen. Wenn ich ihn jetzt hier aufnehme, wird er Mia vermissen und vielleicht nicht gesund werden.« Mias Papa stöhnt. »Okay. Dann haben wir wohl keine andere Wahl, als Fritz auch noch bei uns aufzunehmen.«

»Fritz! Du darfst bei mir bleiben. Ist das nicht toll?« Mia drückt sich an den Uhu.

Der Uhu macht leise ratschende Geräusche, als hätte er Mia verstanden.

**

»So, liebe Schüler, wir sind da. Heute sehen wir uns die Bärenklauer Tierschutzorganisation an, die von den Mitarbeitern des Tierheims gegründet wurde«, erklärt Frau Cordes.

Die Schüler der Klasse 5b betreten das Gelände vom Tierheim und werden sogleich von einer jungen Frau in grüner Arbeitshose und -jacke begrüßt. »Guten Morgen, Kinder, ich bin Anna Liebig. Schön, dass ihr uns besuchen kommt.«

»Guten Morgen«, antworten die Schüler im Chor.

»Ich zeige euch heute unser Tierheim. Ich erkläre euch im Anschluss, warum wir eine Tierschutzorganisation gegründet haben. Kommt mit!« Die junge
Frau macht auf dem Absatz kehrt
und winkt die Schüler hinter sich
her. Beim Laufen wippt ihr Pfer-
deschwanz lustig auf und ab.

»Das hier sind die Käfige von
Hunden und Katzen, die auf der
Straße ausgesetzt oder zu uns gebracht wurden, weil die Familien
mit den Tieren nicht zurechtge-
kommen sind.«

»Das sind aber viele Hunde«,
bemerkt Mia erschrocken.

Anna nickt. »Ja, leider. Viele
kaufen sich einen Hund und vergessen, dass das ein Lebewesen
ist, das viel Aufmerksamkeit und Liebe braucht.«

»So wie ein Kind?«, fragt Linda neugierig.

Anna lächelt. »Richtig. Es ist wichtig, dass sich Eltern um
ihre Kinder kümmern, mit ihnen spielen und sich auch mit
ihnen beschäftigen. Und das Gleiche gilt für einen Hund.
Es reicht nicht, ihm nur Fressen zu geben oder einmal am
Tag mit ihm spazieren zu gehen.«

»Was passiert denn mit den Hunden, wenn man sich nicht
genug mit ihnen beschäftigt?«, will Mia wissen.

Ihre Nachbarn haben einen Hund, der den ganzen Tag alleine zu Hause ist.

Mia mag den Hund nicht.

Er bellt sie ständig an und jagt auch ihren Pinguinen oft einen Schrecken ein.

»Nun, Hunde brauchen Auslastung. Da reicht ein Spaziergang nicht. Sie wollen auch mal gefordert werden. Stöckchen holen oder geistig anstrengende Aufgaben lösen«, erklärt Anna.

»Jeden Tag?«, fragt Michael fast erschrocken.

Seine Eltern haben einen kleinen Dackel.

»Nein, das muss natürlich nicht jeden Tag sein. Wir gehen ja auch nicht jeden Tag ins Kino oder lösen ständig Kreuzworträtsel«, entgegnet Anna lachend.

»Wenn man Hunde nur kurz kuschelt oder mal einen Spaziergang macht, ist das für ein paar Tage okay. Aber wenn man sich sonst nicht um seinen Hund kümmert, so dass er sich langweilt«, mischt sich nun auch Frau Cordes ein, »dann wird er schnell depressiv. Also sehr traurig. Und manchmal wird so ein Hund sogar aggressiv und dann schnappt er ganz schnell mal zu.«

Das leuchtet den Kindern ein.

Die Klasse wird weiter herumgeführt, bis sie zu den Vogelkäfigen kommen.

»Das sind ja echte Papageien!«, ruft Toulouse erschrocken. »Warum sind die in einem Tierheim?«

»Papageien werden sehr alt«, sagt Anna. »Und die Besitzer waren auch schon sehr alt und sind gestorben. Nun sind die Tiere bei uns, weil sie niemand haben wollte.«

»Sie langweilen sich doch, wenn sie den ganzen Tag im Käfig sitzen. Sie müssen fliegen«, ruft Toulouse empört.

»Toulouse, nicht jedes Tier muss in den Zirkus«, sagt Frau Cordes recht ungeduldig.

»Sie mögen ja auch keine Zirkusse«, eilt Thomas Toulouse zur Hilfe.

»Tiere haben im Zirkus nichts zu suchen. Kein Tier sollte in Gefangenschaft leben«, verteidigt sich Frau Cordes.

Anna seufzt. »Es ist ein schöner Gedanke, dass kein Tier in Gefangenschaft lebt, aber das lässt sich wohl kaum durchführen. Es gibt für viele Tiere auch immer weniger Lebensraum. Egal ob es Tiger, Affen oder Vögel sind. Wenn die Menschen die Urwälder abholzen, dann verlieren die Tiere ihren Lebensraum. Viele Tiere würden gar nicht mehr leben, wenn man sie nicht in Zoos züchten würde.«

»Dann setzen Sie sich mit Ihrer Tierschutzorganisation für diese Tiere ein?«, fragt Emma mit großen Augen.

Anna lächelt und schüttelt den Kopf. »Nein. Wir sind ein viel zu kleiner Verein. Wir können uns nur um die Tiere in der Umgebung kümmern, also um Hühner, Schweine, Hunde und Katzen. Es gibt aber sehr große Vereine, die sich darum kümmern, dass Tiere auf der ganzen Welt geschützt werden.«

»Welche denn?«, will Nils wissen.

»Nun, in Deutschland gibt es zum Beispiel den ›Naturschutzbund Deutschland‹, abgekürzt heißt er ›NABU‹. Die Menschen kümmern sich um die Natur und darum, dass die Tiere in Deutschland noch ihren natürlichen Lebensraum finden. Sie schützen unsere Wälder.«

»Und natürlich gibt es auch die ›TOGA‹«, sagt Frau Cordes. »Dort bin ich Fördermitglied. Die Broschüren habe ich euch ja ausgeteilt.«

»Nun«, sagt Anna fast ein wenig schüchtern, »hier kann man darüber streiten, ob dieser Verein wirklich für den Tierschutz einsteht.«

Frau Cordes ist entsetzt. »Was reden Sie denn da für einen Unsinn? Natürlich sind das Tierschützer!«

»Wenn es Tierschützer wären, warum setzen sie sich dann nicht für die Tiere direkt ein? Warum machen sie dann nur so erschreckende Propaganda?«, fragt Anna fast ein wenig nervös.

Verärgert schneidet Frau Cordes eine Grimasse. »Das ist doch Blödsinn, Frau Liebig. Natürlich setzt sich die ›TOGA‹ für Tiere ein.«

»Nein, Frau Cordes, das sehe ich anders. Das einzige, was die ›TOGA‹ macht, sind Werbekampagnen mit zum Teil gefälschten Videos und Bildern, um angebliche Tierquälereien aufzudecken«, platzt Anna heraus. »Sie schneiden die Videos so zusammen, dass man den Eindruck bekommt, alle Menschen, die mit Tieren arbeiten, seien Tierquäler. Das stimmt aber nicht. In vielen Einrichtungen, egal ob es Zoos oder Zirkusse sind, geht es den Tieren sehr gut. In der freien Wildbahn würden sie sterben, weil es dort Wildjäger gibt oder keinen Lebensraum mehr.«

Frau Cordes ist sichtlich entsetzt. »Frau Liebig, wie können Sie so etwas behaupten? Das ist eine Lüge! Die ›TOGA‹ erstattet sogar Anzeigen gegen Tierbesitzer, wenn der Verein der Meinung ist, dass die Tiere nicht gut aufgehoben sind.«

Anna zuckt zusammen. »Es gab erst neulich eine Gerichtsverhandlung, weil der Verein ein langes Video von Tierquälern gezeigt hat. In dem Video konnte man kurz zwischen vielen Bildern die Arbeit einer Raubtiertrainerin sehen. Dadurch entstand der Eindruck, dass die Dompteurin schlecht mit ihren Raubkatzen umgeht.«

»Das wird ein Versehen gewesen sein. Ich unterstütze selbst die ›TOGA‹ und bin sehr zufrieden mit ihrer Aufklärungsarbeit«, sagt Frau Cordes reichlich verschnupft.

»In dem Verein gibt es keinen einzigen Mitarbeiter, der sich um das Wohl der Tiere kümmert, so wie wir das hier mit unserer Tierschutzorganisation tun. Bei der ›TOGA‹ sind alle Mitarbeiter dafür zuständig, ausschließlich Werbekampagnen zu betreiben. Das finde ich nicht ausreichend. Es hilft den Tieren nicht«, beharrt Anna, »wenn man nur erschreckende Fotos veröffentlicht.«

Staunend beobachten die Schüler die beiden Frauen, die sich darüber streiten, was eine Tierschutzorganisation zu tun hat.

»Das sehe ich aber anders. Natürlich kümmern sich die Mitarbeiter ernsthaft um den Tierschutz. Aber erzählen Sie uns doch mal, was Sie in Ihrem Verein machen«, fordert Frau Cordes die junge Mitarbeiterin vom Tierheim auf.

Anna wendet sich an die Schüler. »Wenn wir zum Beispiel Hinweise bekommen, dass ein Bauer oder eine Familie schlecht mit ihren Tieren umgeht, dann suchen wir die Betroffenen auf und machen uns ein Bild von den Umständen. Wenn die Zustände tatsächlich schlecht sind, dann schalten wir die Tierschutzbehörde mit ein«, erklärt Anna.

»Und was passiert dann mit den Tieren?«, will Amelie wissen.

»Wenn die Tierschutzbehörde auch der Meinung ist, den Tieren geht es nicht gut bei ihren Besitzern, dann nehmen sie die Tiere weg und bringen sie an einen Ort, wo es ihnen besser geht. Das kann ein Zoo oder Wildpark sein, eine Familie oder, als letzte Lösung, auch ein Tierheim«, antwortet Anna.

»Und was macht die ›TOGA‹, wenn sie schlimme Zustände aufdecken?«, fragt Emma ihre Klassenlehrerin.

Frau Cordes schaut Emma mit großen Augen an.

Sie öffnet den Mund, dann schließt sie ihn wieder.

»Schreckliche Bilder und Videos veröffentlichen«, antwortet Anna stattdessen. »Vielleicht informieren Sie auch die Behörden, aber davon erfährt man nie etwas. Und sie ziehen alle Leute vor Gericht, um gegen sie zu kämpfen, statt ihr Geld in den Tierschutz zu stecken. Und genau aus diesem Grund unterstütze ich die Organisation nicht.«

»Aber sie klären auf und das ist auch wichtig«, sagt Frau Cordes.

»Natürlich ist Aufklärung wichtig, wenn sie der Wahrheit entspricht. Aber in meinen Augen reicht das allein nicht«, sagt Anna.

»Kinder, ich denke, wir haben für heute genug gesehen und gehört. Wir bedanken uns bei Frau Liebig und werden den Rückweg zur Schule ansteuern«, sagt Frau Cordes und klatscht in die Hände.

Mia schaut auf ihre Armbanduhr. »Jetzt schon? Wir wollten doch bis zum Mittag hierbleiben.«

»Ich glaube, es reicht, was wir gesehen haben, Mia. Abmarsch!«

»Frau Cordes ist wütend, weil Anna die ›TOGA‹ nicht toll findet«, wispert Emma ihrer Freundin ins Ohr.

Mia nickt. »Ich werde mich mal mit meinen Eltern schlau machen, wer Recht hat.«

»Super Idee, da bin ich dabei«, erwidert Emma leise und hebt den Daumen.

»Was heckt ihr zwei aus?«, will Amelie wissen und auch Linda stößt dazu.

»Wir werden mal ein bisschen nachforschen, wer von beiden Recht hat«, sagt Emma. »Seid ihr dabei?«

»Na, logo!«, antwortet Linda und auch Amelie ist Feuer und Flamme.

Der Kuss

»Es ist ganz schön anstrengend, die vielen Ställe auszu-
misten«, sagt Mia stöhnend und wischt sich den Schweiß
von der Stirn.

Seit zwei Tagen ist sie mit ihren Klassenkameraden im
›Circus Diadem‹ und hilft bei der Versorgung der Tiere.

»Ich liebe den Duft von frischem Heu und Pferdemist«,
erwidert Emma lachend. »Ich könnte nichts anderes tun.«

»Ich auch«, ruft Toulouse, die mit Amelie zwei Ställe weiter steht und ebenfalls ausmistet.

»Ich nicht«, ruft Thomas und grinst Toulouse breit an.
Viel zu lange bleibt sein Blick an ihr haften.

Mia beobachtet die zwei nun schon eine ganze Weile.

Verschwörerisch beugt sie sich zu Emma hinüber. »Ob die
zwei ineinander verliebt sind?«

Emma blickt auf und schaut zu Toulouse und Thomas
hinüber. »Zumindest kann er seine Augen nicht mehr von
ihr lassen. Ich dachte ja erst, er ist in Tina verliebt, aber
seitdem Toulouse bei uns ist, ist er außergewöhnlich nett.«

Mia und Emma kichern leise.

Nach einer weiteren Stunde legen sie verschwitzt ihre
Heugabeln beiseite.

»Wann ist endlich Mittagspause?«, stöhnt Nils nebenan.

»Kinder, kommt zum Essen!«, ruft einer der Clowns.

Erleichtert verlassen die Kinder die Ställe und laufen zur
Küche hinüber.

Der Zirkus hat für seine dreihundert Mitarbeiter eine eigene Großküche in einem der riesengroßen Wohnwagen untergebracht. Jeden Tag wird hier Frühstück, Mittag- und Abendessen zubereitet. Kostenlos, denn die Mitarbeiter müssen ihr Essen nicht bezahlen.

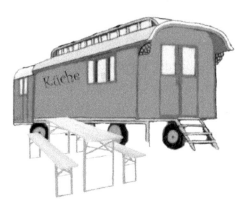

Neben dem Küchenwagen steht ein Wagen mit Waschmaschinen und Trocknern, wo die Zirkusleute ihre Kleidung waschen und trocknen können. Ein weiterer Wagen neben dem Küchenwagen ist die eigene Zirkusschneiderei, denn die Kostüme werden alle selbst entworfen und genäht. Egal, wie aufwendig sie mit glitzernden Pailletten sind, nichts ist den Schneiderinnen zu schwer.

Toulouse hat ihnen sogar die Sattlerei gezeigt. Ein Wagen, in dem alle Ledersachen für den Zirkus genäht werden. Dazu gehören das Ledergeschirr für die Pferde und Elefanten, die sie bei ihrem Auftritt tragen und natürlich einige Kostüme der Zirkusleute.

»Mann, habe ich einen Hunger!«, stöhnt Emma.

Ächzend lässt sie sich auf einer der Bänke vor dem Wohnwagen nieder.

»Hallo Kinder, wie gefällt es euch bei uns?«, fragt Hanna Schönfeld.

»Sie sind doch die Lehrerin der Zirkuskinder, oder?«, fragt Emma interessiert.

Die Frau grinst bis über beide Ohren und lässt dabei zwei vorwitzige Grübchen auf ihren Wangen erscheinen. »Ja, das bin ich. Ich bin Hanna Schönfeld.«

»Sind Sie schon lange hier im Zirkus?«, bohrt Emma weiter.

»Seit fünf Jahren bin ich hier«, antwortet Frau Schönfeld und nimmt ihren Teller mit Nudeln dankend vom Clown entgegen.

»Dann wohnen Sie gar nicht ihr ganzes Leben hier?«, fragt Nils erstaunt.

Frau Schönfeld schüttelt den Kopf. »Nein. Ich bin dazuge-stoßen.«

»Was haben Sie vorher gemacht?«, will Amelie wissen.

Frau Schönfeld lächelt. »Vorher habe ich viele Jahre an einer Schule unterrichtet.«

»Und warum sind Sie jetzt zum Zirkus gegangen? Sie sind doch schon alt«, rutscht es Mia heraus.

»Ach herrje, sieht man mir das Alter etwa an?«, ruft Frau Schönfeld und lacht lauthals los. »Ich wollte schon immer zum Zirkus. Mich hat das Leben im Wohnwagen fasziniert. Und ich dachte mir, wenn ich es jetzt nicht mache, ist es zu spät.«

»Und gefällt es Ihnen? Sie wohnen doch jetzt auch im

Wohnwagen und nicht in einer Wohnung, oder?«, sagt Amelie.

»Es gefällt mir sehr. Ich möchte nie wieder etwas anderes machen«, gesteht Frau Schönfeld.

»Und das Herumreisen stört Sie nicht?«, will Mia wissen.

»Nein. Es ist toll. Wir sind an verschiedenen Orten, lernen unterschiedliche Menschen kennen und sehen viel von der Welt«, antwortet die Lehrerin.

»Was ist, willst du hier Wurzeln schlagen?«, fragt Emma Mia, die noch immer neben ihr steht und sich unsicher umschaut.

»Hast du Thomas und Toulouse gesehen?«, fragt Mia leise.

Emma zuckt mit den Schultern. »Sie werden schon nicht von den Löwen gefressen worden sein. Das hätten wir mitgekriegt. Komm setz dich und iss mit mir!«

»Ich gehe nur kurz nachsehen«, sagt Mia.

»Tu das, aber ohne mich. Ich brauche erst einmal eine Tonne Spaghetti für meine geschundenen Knochen«, erwidert Emma und bedankt sich artig, als der Clown ihr eine große Portion Nudeln vor die Nase stellt.

Mia geht leise am Nashorngehege vorbei.

Es grenzt an ein großes Zelt an, in dem der Nashornbulle auf einem großen Strohlager schlafen kann.

Die Zirkusdirektorin hat ihnen bei ihrem ersten Besuch erklärt, dass ein Nashorn eigentlich nicht in den Zirkus gehört, aber der Ärmste hat sich im Zoo nicht wohlgefühlt und eine Auswilderung hat nicht funktioniert.

Also hat der Zirkus ihn vor mehr als zwanzig Jahren aufgenommen und der gutmütige Pflanzenfresser scheint seinen Aufenthalt zu genießen. In der Manege gehört er sogar zu den Stars.

Kaum ist Mia an dem großen Zelt vorbeigelaufen, als sie Thomas und Toulouse im Schatten der Voliere sieht, in dem die Papageien sind. Sie stehen an einen Wohnwagen gelehnt, halten sich an den Händen und…

Mia stutzt.

Sie küssen sich!

Thomas küsst tatsächlich ein Zirkusmädchen, und zwar mitten auf den Mund!

Zugegeben, Toulouse ist hübsch.

Sie hat lange, braune Haare und große braune Augen.

Sie trägt immer die feinsten Klamotten und ist äußerst höflich. Ihr Körper ist grazil, eben wie bei einer typischen Akrobatin.

Mia will sich wieder davonschleichen, doch dann stolpert sie über einen Metalleimer, der mit einem höllischen Krachen über den Asphalt kullert.

Thomas und Toulouse fahren auseinander und schauen erschrocken mit hochroten Gesichtern zu Mia.

Mia, die sich auch noch in einer Zirkuszeltschnur verheddert, landet mit der Nase vorweg auf der Wiese.

Toulouse kommt sofort angerannt. »Mia, geht es dir gut? Hast du dir weh getan?«

»Das kommt davon, wenn man anderen hinterher spioniert«, gibt Thomas patzig von sich.

Toulouse verzieht das Gesicht. »Thomas, das ist aber nicht nett. Mia hat sich bestimmt verlaufen.«

Thomas verschränkt die Arme vor der Brust und schnauft. Da ihm Toulouse aber einen weniger freundlichen Blick zuwirft, verkneift er sich jeglichen Kommentar. »Wehe, du erzählst irgendjemandem davon«, knurrt er, sobald Mia wieder auf beiden Beinen steht.

»Wieso? Schämst du dich etwa für den Kuss?«, fragt Mia. Thomas errötet heftig.

Toulouse schneidet eine Grimasse. »Wenn das so ist, dann kannst du jetzt gehen, Thomas!« Sie macht auf dem Absatz kehrt und lässt Thomas einfach stehen.

Thomas öffnet den Mund, um sie aufzuhalten, aber es kommt kein Ton heraus. Wütend macht er auf dem Absatz kehrt und stampft davon.

Kopfschüttelnd blickt Mia ihm hinterher. »Mannomann, Thomas! Warum hat er sich nicht einfach entschuldigt? Er steht sich aber auch immer selbst im Weg.«

* * *

»Oma! Opa! Endlich seid ihr aus eurem Urlaub zurück«, ruft Mia ausgelassen und fällt ihrer Großmutter um den Hals.

»Nicht so stürmisch, meine Mia! Lass die Oma heil«, erwidert Opa lachend, bevor er von Mia ebenso lebhaft umarmt wird.

»Ihr ward ganz schön lange weg!«, sagt Mia vorwurfsvoll.

»Stimmt, aber wir haben dir etwas mitgebracht«, sagt Opa und überreicht ihr ein Päckchen.

Auch Stella bekommt ein kleines Geschenk.

Aufgeregt reißt Mia die Verpackung von ihrem Mitbringsel auf.

»Ein Pinguin«, ruft Mia begeistert und hält die etwa zwanzig Zentimeter große Handpuppe in die Höhe. »Dann brauche ich ja nur noch einen Uhu als Handpuppe.«

»Warum?«, fragt Oma überrascht.

»Weil wir doch jetzt den Fritz haben«, antwortet Mia.

»Wer ist denn nun schon wieder Fritz?«, will Opa wissen.

»Ich dachte, dein Fridolin hat bereits drei Eier geklaut.«

»Stimmt, Opa, aber als ihr weggeflogen seid, kam ein Uhu angesegelt. Er landete direkt in unserem Garten neben dem Pinguinbecken«, erzählt Mia aufgeregt.

»Der junge Uhu hat sich den Flügel verknackst. Er muss vorher mit dem Bussard gekämpft haben, den wir noch haben wegfliegen sehen«, fügt Sophie hinzu.

»Aber man darf doch keinen Uhu behalten. Die stehen unter Artenschutz, oder?«, hakt Opa nach und kratzt sich am Kopf.

»Ja. Wir waren erst beim Tierarzt mit ihm. Doktor Hase hat ihm den Flügel verbunden. Aber er hatte keine Zeit, sich um ihn zu kümmern. Also haben wir ihn wieder mitgenommen«, sagt Mias Papa. »Und der Falkner im Nachbarort ist auch überbelegt. Außerdem meinte Herr König, dass sich der Uhu schon so sehr an Mia gewöhnt hat, dass er ihn nicht von ihr wegreißen will. Also hat er uns ein Buch über Uhupflege mitgegeben und uns genau erklärt, worauf wir achten müssen.«

Opa bläst erstaunt die Backen auf. »Und wo ist euer Fritz

jetzt?«

Mia zieht Opa zur Terrassentür und zeigt auf ein schief und krumm zusammengehämmertes Uhu-Haus neben den Pinguinhöhlen. »Dort, Opa!«

»Warum habt ihr das Uhu-Haus so weit am Boden gebaut und dann auch noch einen Laufsteg daran befestigt? Ist das nicht gefährlich?«

»Aber Opa, wenn wir keine Verbindung zum Boden gebaut hätten, könnte Fridolin doch seinen neuen Freund nicht besuchen«, erwidert Mia lachend.

»Stimmt. Aber was macht ihr, wenn eine Katze kommt?« Ängstlich schielt Opa in den Garten.

»Wir haben einen Katzenalarm eingebaut«, berichtet Mias Papa, »natürlich ganz im Sinne des Tierschutzes. Wir wollen sie ja nur verjagen und nicht verletzen.«

Endlich hat auch Stella ihr Kuscheltier befreit. »Pingu«, ruft sie erfreut.

»Du hast ein Baby, Stella, und ich den großen Bruder«, sagt Mia lachend.

Stella nickt und streichelt ihr Pinguinbaby. »Baby.«

»Hallo Baby!«, sagt Mia. »Wollen wir spielen gehen?«

»Nein«, sagt Stella und umklammert das Geschenk von Oma und Opa.

Oma streichelt Stella über den Kopf. »Mia nimmt dir den Pinguin doch nicht weg, Stella.«

»Genau«, pflichtet Mia ihrer Oma bei, »ich will dir nur einen Kuss geben«, ruft sie mit verstellter Stimme.

Nun hält Stella ihrer Schwester den Pinguin hin.

»Aber das ist kein Humboldtpinguin wie Fridolin«, stellt Mia fest.

»Nein, das sind Brillenpinguine. Wir haben damit die Tierschutzorganisation in Afrika unterstützt, die von dem Geld Wildhüter bezahlen«, erzählt Oma.

»Wir haben auch eine Tierschutzorganisation besucht, Oma. Hier in Bärenklau«, berichtet Mia aufgeregt, während Sophie den Kuchen auf den Esstisch stellt.

»Ja, im Tierheim hat der Verein seinen Sitz«, weiß Opa.

»Du kennst ihn?«, fragt Mia überrascht.

Oma und Opa nicken. »Ja. Wir unterstützen den Verein mit einer jährlichen Spende.«

»Das finde ich toll«, sagt Mia.

»Wir unterstützen auch die ›TOGA‹. Vielleicht hast du von ihnen schon gehört?«, fragt Oma.

Mia nickt. »Ja. Unsere Lehrerin hat uns Hefte mit Fotos von der ›TOGA‹ verteilt. Da sind viele schreckliche Bilder drin, die Stella noch nicht sehen darf.«

»Ja, das glaube ich dir. Die Organisation gibt viel Geld aus, um schreckliche Machenschaften mit Tieren aufzudecken«, sagt Opa und setzt sich an die Kaffeetafel.

»Ich bin ganz überrascht, dass ihr der Organisation Geld gebt«, mischt sich Mias Papa ein.

»Warum?«, sagt seine Mutter überrascht.

»Ich finde, der Verein ist zu aggressiv in seinem Vorgehen«, antwortet Mias Papa.

»Genau das gefällt uns doch, Tom. Tiere können nicht für sich selbst sprechen. Also müssen wir Menschen aufpassen, dass die Tiere auf unserer Erde gut behandelt werden«, sagt Oma und nimmt neben Opa Platz. »Und weil wir ohnehin nicht mehr so viel Fleisch essen dürfen, sind wir seit ein paar Wochen sogar Vegetarier.«

»Echt?«, fragt Mia beeindruckt.

»Ja, mein Schatz. Opa hat Rheuma und ich möchte auch nicht mehr so viel Fleisch essen. Also verzichten wir ganz darauf«, erzählt Oma.

»Meine neue Freundin Emma ist auch Vegetarierin«, sagt Mia.

»Das finde ich toll«, sagt Oma.

»Ich möchte aber kein Vegetarier sein«, beharrt Mia.

»Das ist in Ordnung, mein Schatz«, sagt Opa.

»Siehst du, Mia, sogar in einer Familie können die Menschen unterschiedliche Meinungen haben«, wirft Sophie ein.

»Und wir haben uns trotzdem alle lieb«, sagt Oma grinsend und drückt ihrem Sohn, also Mias Papa, einen Kuss auf die Wange.

***

»Und sie haben sich ernsthaft geküsst?«, fragt Amelie mit großen Augen.

Mia grinst und nickt. »Ja, aber es war ihm peinlich. Und das hat Toulouse mitgekriegt.«

»Oje, die Ärmste!«, sagt Amelie mitfühlend.

»Ja, mir tut sie auch leid. Aber anstatt sich zu entschuldigen, ist Thomas stumm wie ein Fisch davon gestapft«, sagt Mia und verdreht die Augen.

»Das hätte ich unserem Anwalt gar nicht zugetraut«, sagt Emma und kickt einen Stein ins Gebüsch. »Also, ich meine natürlich den Kuss. Den blöden Abgang habe ich ihm schon zugetraut. Schließlich besitzt er nicht besonders viel Feingefühl.«

Sie gehen gerade zum Sportunterricht und haben den Umweg über den Schulpark genommen, um noch etwas ungestört quatschen zu können.

Plötzlich bleibt Emma stehen und deutet auf das Gebüsch zu ihrer Linken. »Seht doch nur! Da haben sich die zwei Liebenden offenbar wieder versöhnt!«

Thomas und Toulouse stehen hinter den Holunderbüschen und pressen ihre Lippen aufeinander.

»Könnt ihr euch vorstellen, ausgerechnet Thomas zu küssen?«, rutscht es Mia heraus.

Emma und Amelie kichern kopfschüttelnd.

»Abgesehen davon, dass Thomas mein Cousin ist, kann ich mir das überhaupt nicht vorstellen. Er ist mir viel zu anstrengend«, sagt Amelie leise.

»Mir ist er zu blond! Und passend zu seinen Haaren fehlt es ihm auch an Intelligenz«, knurrt Emma.

»Du hältst ihn für dumm?«, fragt Amelie erstaunt.

»Nichts für ungut, Amelie, ich weiß, er ist ein Familienmitglied von dir. Aber bis jetzt hat sich Thomas nicht von seiner besten Seite gezeigt«, erwidert Emma.

»Kommt, lasst uns zum Unterricht gehen, bevor sie uns entdecken und Thomas seine Angebetete wieder verscheucht«, sagt Mia und zieht die Mädels mit sich.

***

Mia sitzt mit ihren Freundinnen vor dem Computer und starrt auf den Bildschirm.

»Das sind aber viele Aktivitäten von ›*TOGA*‹.«

Mias Papa nickt. »Das stimmt. Und es ist auch gut, dass es so viele Tierschutzorganisationen gibt, die aufpassen, dass Menschen gut mit Tieren umgehen.«

Sophie nickt. »Ja, das finde ich auch. Allerdings finde ich die Vereine besser, die sich aktiv für das Wohl der Tiere einsetzen. Mir ist es zu wenig, was die ›*TOGA*‹ macht.«

»Das hat Anna vom Tierheim auch gesagt, aber Frau Cordes hat sich sehr darüber geärgert«, sagt Mia.

»Dann haben die beiden also bei eurem Ausflug gestritten?«, fragt Sophie überrascht nach.

Emma nickt. »Und wie! Frau Cordes war so sauer, dass wir den Ausflug sogar abgebrochen haben und früher wieder in die Schule zurückgelaufen sind.«

»Frau Cordes ist manchmal recht…«, Mias Papa überlegt, wie er das formulieren soll, »eigensinnig, was?«

Die Mädchen nicken schnaufend.

»Ich finde es gut, dass es Vereine gibt, die sich um die Tiere kümmern. Und mein Vater und ich essen auch kein Fleisch, weil wir nicht wollen, dass Tiere getötet werden«, sagt Emma, »aber ich finde die Arbeit von ›*TOGA*‹, die die Broschüre geschrieben hat, viel zu aggressiv.«

»Stimmt. Es ist alles so übertrieben«, stimmt Mia ihr zu.

»Ich glaube, die wollen auch nicht nett sein«, gesteht Mias Papa lachend. »Mit schrecklichen Bildern lässt sich einfach mehr Geld einsammeln.«

»Ich würde es aber besser finden, wenn sie nett wären«, sagen Mia und Amelie gleichzeitig.

»Anna hat sogar gesagt, die ›*TOGA*‹ verfälscht Videos.

Das finde ich falsch und verlogen«, fügt Linda hinzu.

»Da habt ihr Recht, Kinder. Aber da ihr alle schlaue Mädels seid und euren Kopf benutzen dürft, könnt ihr selbst entscheiden, ob ihr das unterstützen wollt oder nicht«, sagt Sophie.

»Ich möchte eine Tierschutzorganisation unterstützen«, meldet sich Mia zu Wort.

»Wir auch«, stimmen die anderen zu.

»Dann bin ich dafür, dass wir uns Infomaterial von der ›WWF‹ zukommen lassen«, sagt Mias Papa.

»Was ist das, Papa?«, fragt Mia.

»Die ›World Wildlife Foundation‹ ist eine Stiftung aus der Schweiz, die sich auf der ganzen Welt für die Natur und die Tiere einsetzt. Sie haben viele Projekte, wo auch Tiere geschützt werden«, erklärt Mias Papa. Er tippt auf der Tastatur am Computer und zeigt auf den Bildschirm. »Hier seht ihr, was die alles machen! Sie setzen sich für Elefanten ein, damit diese nicht wegen ihrer Stoßzähne gejagt und getötet werden«, sagt Sophie.

»Was machen Menschen denn mit Elefantenzähnen?«, fragt Mia überrascht.

»Die Zähne sind aus wertvollem Elfenbein. Damit verdienen die Elfenbeinhändler in Afrika viel Geld«, erwidert Mias Papa. »Die ›WWF‹ setzt sich aber auch dafür ein, dass man keine weiteren Wälder auf Borneo abholzt, damit die dort lebenden Affen nicht aussterben.«

»Das gefällt mir«, sagt Mia.

»Weltweit bilden sie Wildhüter aus und richten Reservate ein, damit die Tiere in Frieden leben können«, ergänzt

Sophie.

»Das finde ich toll. Ich möchte das unterstützen«, sagt Emma entschlossen.

»Ich auch«, stimmt Mia ihr zu.

»Dann werden wir Fördermitglied und spenden jedes Jahr Geld, damit die Organisation ihre Arbeit weiterhin so gut machen kann«, sagt Mias Papa und streichelt seiner Tochter stolz über den Kopf. »Und einen Euro stiftest du von deinem Taschengeld.«

»Alles klar, Papa. Das mache ich gern«, sagt Mia grinsend.

»Oh, wer ist das denn?«, quiekt Amelie erschrocken, als Fritz hereinschwebt. Auf dem Kopf trägt er die weiße Tischdecke, die bis eben noch auf dem Terrassentisch gelegen hat. So sieht Fritz aus wie ein Gespenst.

»Hilfe, ein Gespenst!«, schreit Linda.

»Ein Babenst«, äfft Stella Linda nach.

Mia lacht laut auf. »Fritz, was machst du denn da für einen Blödsinn mit der Tischdecke?«

Der kleine Uhu gurgelt leise.

Mia springt auf und zieht dem Uhu die Tischdecke vom Kopf.

»Oh, ist der süß!«,

ruft Emma begeistert.

Fritz hüpft erleichtert auf Mias Schoß und kuschelt mit ihr.

»Er ist ja verletzt«, sagt Amelie überrascht.

Mia nickt. »Er hat sich den Flügel gebrochen. Aber Doktor Hase hat ihn verarztet. Bald kann er wieder richtig fliegen.«

»Und dann fliegt er zurück in den Wald?«, will Emma wissen.

Mia streichelt Fritz. »Vielleicht. Herr König, der Falkner, meinte, es kann sein, dass er uns nicht mehr verlassen will.«

»Ist das ein Problem?«, fragt Linda.

Mias Papa fährt den Computer runter. »Es ist eher ein Problem, dass er seine Eltern so früh verloren hat. Er hat nicht gelernt, sein Essen zu jagen.«

»Oh«, ruft Amelie, »dann wird er ja im Wald verhungern.«

»Genau«, sagt Mia, »darum fahren wir in ein paar Wochen, wenn sein Flügel heil ist, zu Herrn König in die Falknerei und versuchen, ihm das Jagen beizubringen.«

»Dann bist du ja schon eine Tierschützerin, Mia!«, sagt Emma erfreut. »Du hast einen Uhu gerettet.«

Stolz nickt Mia und sagt lächelnd: »Stimmt. So habe ich das noch gar nicht betrachtet.«

Ein peinlicher Vorfall

»Wir sind morgen zu einer Sondervorstellung eingeladen?« Lachend pustet Mia ihre Backen auf und rollt so lustig mit den Augen, dass die sonst so zurückhaltende Toulouse leise loslacht. »Ja, das seid ihr! Um genau zu sein, die ganze Schule.«

»Wie viele Menschen passen denn in euer Zelt hinein?«, fragt Amelie erstaunt.

»Es passen viertausend   Zuschauer in unser Zelt«, sagt Toulouse stolz.

»Wahnsinn!«, meldet sich nun auch Thomas zu Wort. »Wie groß ist das Zelt?« Seine Augen strahlen.

»Es ist dreitausend Quadratmeter groß und hat damit fast die Größe eines Fußballfeldes«, entgegnet Toulouse.

Thomas fällt vor Überraschung fast in Ohnmacht. »Das ist

ja toll. Wie viele Mann braucht man, um es aufzubauen?«

»Die Stahlmasten sind zwanzig Meter hoch, dann gibt es ja noch etliche Sturm- und Rondellstangen und zweihundertfünfzig Eisenanker, damit die Sonderanfertigung auch starken Stürmen standhalten kann«, sagt Toulouse und beißt in ihren Apfel. »Beim Aufbau helfen etwa sechzig Mann mit.«

Thomas ist vollkommen aus dem Häuschen. »Unglaublich! Ich möchte unbedingt mal dabei sein, wenn so ein Riesenzelt auf- und wieder abgebaut wird.«

»Wirklich?« Nun strahlen auch Toulouse Augen und Mia kann sich ein Grinsen nicht mehr verkneifen.

»Ja. Ich liebe den Zirkus«, gesteht Thomas.

»Das ist ja eine ganz neue Seite an dir«, mischt sich nun auch Nils ein.

Thomas zuckt mit den Schultern. »Mein Vater hasst den Zirkus. Er wird mich niemals hingehen lassen.«

»Onkel Hans hasst alles, was anders ist, oder?«, sagt Nils mitfühlend. »Dann verabredest du dich morgen eben mit mir und wir gehen heimlich hin.«

»Das würdest du tun?«, fragt Thomas erstaunt.

Nils nickt. »Natürlich. Wir sind doch Cousins.«

»Das finde ich klasse. Du bist doch kein so schlechter Cousin«, sagt Thomas. »Cool, dass wir vom Zirkusdirektor eingeladen sind.«

»Ja, das ist wirklich eine tolle Idee, Toulouse«, sagt Emma.

»Das finde ich auch«, stimmt Amelie zu. »Mit oder ohne unsere Eltern?«

»Amelie! Wie kannst du so etwas fragen? Natürlich ohne Eltern! Sonst platzt das Zelt noch aus allen Nähten«, witzelt Emma und beißt in ihr Pausenbrot.

»Aber nein«, wirft Toulouse ein, »eure Eltern und Geschwister könnt ihr mitbringen. Oder habt ihr etwa viertausend Schüler an der Schule?«

»Nein, natürlich nicht«, sagt Mia. »Wir haben etwa sechshundert Schüler. Da sind ja noch dreitausendvierhundert Plätze frei.«

»Viertausend Zuschauer passen in euer Zelt? Wahnsinn! Das ist ja fast schon ein Anschlagsziel«, mischt sich Lennard ein.

Die Mädchen verdrehen die Augen.

»Woran du gleich wieder denkst. Als wenn an jeder Ecke ein Terrorist darauf wartet, Menschen zu verletzen«, kontert Emma.

Lennard zuckt mit den Schultern. »Du wirst schon sehen, dass ich Recht habe. Es gibt doch immer mal irgendwelche Anschläge. Da ist so ein großes Zirkuszelt ein gefundenes Fressen.«

»Ich finde, du siehst zu schwarz«, sagt Mia.

»Das finde ich auch. Lasst uns alles für morgen besprechen. Wir werden uns einen phantastischen Nachmittag beim Zirkus machen«, sagt Emma und lotst ihre Freundinnen von den Jungs weg.

***

»Hereinspaziert! Hereinspaziert!« Ein Clown winkt die Mädchen ins Zelt.

»Ich bin schon ganz gespannt auf Toulouse Auftritt«, sagt Mia und reibt sich voller Vorfreude die Hände.

»Wo ist denn der Rest unserer Klasse?«, fragt Amelie. Suchend schaut sie sich um.

»Die meisten von uns sitzen dort drüben«, sagt Mia und zeigt auf den rechten Teil der Manege. »Ein paar Eltern sind auch schon da. Sie sitzen aber alle hinter der Klasse.« Mia entdeckt Sophie und Stella und winkt ihnen zu.

»Toulouse wird sicherlich darauf geachtet haben, dass sie die Karten sitzplatzweise verteilt«, sagt Emma und drängelt sich an einer Gruppe von Lehrern vorbei.

»Meint ihr, dass Frau Cordes kommt?«, wirft Mia ein.

Emma zuckt mit den Schultern. »Sie dürfte eigentlich nicht kommen. Schließlich gehört sie zu den Zirkusgegnern. Allerdings ist das ein Schulausflug. Und dann muss sie kommen, weil sie aufpassen muss, dass sich kein Schüler verletzt.«

»Stimmt«, sagt Nils außer Atem. »Aber sie hasst den Zirkus! Vielleicht lässt sie sich eine Ausrede einfallen.«

»Dort drüben steht sie doch bei den anderen Lehrern«, ruft Mia und zeigt in die Mitte des Zeltes.

»Wo kommst du denn jetzt her, Nils?«, fragt Amelie ihren Bruder überrascht.

»Vom Fußballtraining.«

Emma rümpft die Nase. »Willst du dich jetzt etwa verschwitzt neben uns setzen?«

Nils grinst und strubbelt Emma durch die Pippi-Langstrumpf-Frisur. »Ja, genau das will ich. Ich will doch von dem stärksten Mädchen des Universums beschützt werden, wenn die Löwen plötzlich Hunger kriegen.«

»Die sind satt«, grunzt Emma. »Ich habe gelesen, dass der Zirkus fünfundzwanzigtausend Euro pro Monat nur für das Fleisch für die Löwen ausgibt.«

»Wahnsinn!« Nils zieht Emma am Zopf.

Emma versucht ihm auszuweichen. »Lass bloß meine Frisur in Ruhe! Amelie, bring deinem Bruder Manieren bei! Ich habe Stunden gebraucht, damit die Haare so aussehen.«

Amelie kichert leise. »Nils weiß durchaus, wie man sich benimmt. Allerdings glaube ich, dass er ein Auge auf dich geworfen hat.«

»Was?« Pikiert schaut Emma Nils an.

Dieser zwinkert ihr nur zu, statt sich wie die anderen Jungs hinter einem blöden Spruch zu verstecken. Das gefällt Emma und zum ersten Mal, seitdem sie in der neuen

Klasse ist, sieht sie Nils mit anderen Augen. »Ich mag Jungs, die wissen, was sie wollen.«

»Dann kannst du ja mal zum Kuchenessen zu mir nach Hause kommen«, sagt Nils grinsend.

»Das werde ich mir überlegen«, kontert Emma.

Mia lachte leise. »Prima. Dann hätten wir das ja auch geklärt. Und nun setzt euch endlich hin! Die Vorstellung geht gleich los.«

Lennard und Thomas nehmen neben ihnen Platz.

Während Lennard mürrisch das Gesicht verzieht, vergisst Thomas glatt, unfreundlich zu sein. Er lächelt die Mädchen sogar an.

Amelie stupst Mia in die Rippen. »Mensch, erkennst du Thomas wieder?«

Mia schüttelt den Kopf. »Nein, er ist vermutlich von Außerirdischen ausgetauscht worden.«

Kichernd halten sich die Mädchen die Hand vor den Mund.

Plötzlich betritt ein Clown die Manege und klatscht in die Hände. »Jungs und Mädels, setzt euch, setzt euch! Wer nicht in drei Sekunden sitzt, der wird nass gemacht.«

Er nimmt einen Kanister mit Wasser und schraubt den Deckel auf. Kreischend setzen sich die letzten Schüler auf ihre Plätze. Auch die Lehrer fliehen.

Während die Kinder in den vorderen Reihen sitzen, haben es sich die Eltern, die mitgekommen sind, auf den hinteren Rängen bequem gemacht.

Zufrieden grinst der Clown und hebt einen Daumen. »Seht ihr, geht doch!« Er verschwindet hinter dem Vorhang und die Band fängt an zu spielen.

»Da kommt Toulouse Mutter«, sagt Mia aufgeregt und zeigt auf die Zirkusdirektorin. Sie trägt ein wunderschönes, bodenlanges Kleid, das im Licht der Scheinwerfer funkelt und glitzert. Sie begrüßt die Gäste und sagt die erste Nummer an.

Musik ertönt und gleich zu Beginn stapft das Nashorn unter der Anleitung von Toulouse gemütlich in die Manege und dreht seine Runden. Zwischendurch stellt es sich auf ein Postament und guckt seelenruhig im Publikum herum. Toulouse schnalzt mit der Zunge, dann trabt das Nashorn weiter und verlässt schließlich die Manege.

»Coole Nummer«, sagt Thomas anerkennend. »Was Toulouse alles kann! Erstaunlich!«

»Hast du deinen Eltern eigentlich Bescheid gesagt, dass du im Zirkus bist?«, fragt Lennard leise, aber nicht leise genug, denn die Mädchen werden hellhörig.

Neugierig linsen sie zu den Jungs, statt der Show der Clowns zu folgen.

»Nein. Bist du verrückt geworden? Ich bin offiziell mit Nils verabredet. Mein Vater hätte mir nie im Leben erlaubt, dass ich heute hierher gehe«, platzt Thomas heraus.

»Und das aus gutem Grund, mein Lieber!«, ertönt eine Männerstimme hinter den Schülern.

Erschrocken wirbeln die Mädchen und auch Thomas und Lennard herum.

»Papa!«

»Raus hier! Was fällt dir ein, mich so zu hintergehen? Du hast in diesem Zirkuszelt nichts zu suchen«, brüllt Thomas' Vater so laut, dass sogar die Clowns vor Schreck vergessen, ihre Nummer fortzuführen.

Alle Blicke sind auf Thomas und seinen Vater gerichtet. Im selben Augenblick kommt Toulouse in ihrem glitzernden Kostüm angelaufen, lächelt Thomas Vater zu und lässt sich neben Thomas auf dem freien Stuhl nieder, den er ihr freigehalten hat.

Sie hat die vorherigen Worte von Thomas' Vater offenbar nicht gehört. Sie streichelt Thomas kurz über die Hand, doch der hat keine Augen für seine Freundin.

»Papa…«

»Worauf wartest du, Thomas? Muss ich dir erst Beine machen?«

Einige der Zuschauer schütteln ungläubig die Köpfe.

Mit hochrotem Kopf erhebt sich Thomas und blickt mit hängenden Schultern beschämt auf Toulouse.

Vollkommen ratlos starrt diese ihn an. »Wo willst du hin? Die Vorstellung hat doch gerade erst angefangen! Ich werde noch einmal auftreten.«

»Und erzähle mir nicht, dass du was mit dieser Zigeunerin hast! Dann bekommst du lebenslangen Hausarrest[8].«

Zitternd vor Angst befreit sich Thomas von Toulouse Hand. Es ist ihm deutlich anzusehen, dass er sich in Grund und Boden schämt.

»Ich fasse es nicht«, brüllt Thomas' Vater außer sich, «mein Sohn hat etwas mit dieser Verbrecherbande zu tun! Du wirst schon noch sehen, was du davon hast. Und damit

---

[8] Hausarrest ist eine Strafe, bei der es verboten ist, das Haus zu verlassen.

es alle gleich wissen, *ich* habe das ›*Wildtierverbot*‹ ins Rollen gebracht. Dieser Zirkus wird zum letzten Mal in der Stadt gastiert haben, solange er wilde Tiere hat.«

Emma springt auf und stemmt die Hände in die Hüften. »Jetzt reißen Sie sich aber mal zusammen, Herr Wietmüller! Was glauben Sie eigentlich, wer Sie sind? Sie stören nicht nur diese tolle Zirkusvorstellung und beleidigen die Menschen hier. Sie besitzen auch noch die Frechheit und stellen ihren eigenen Sohn vor Hunderten von Menschen bloß. Sie sind Anwalt? Sie sollten sich schämen, aber ganz gewaltig.« Zur Bestätigung stampft Emma mit dem Fuß auf.

Wenn sie genau so bunte Klamotten angehabt hätte wie Pippi Langstrumpf, hätte man die beiden für Zwillinge halten können. Unerschütterlich starrt Emma zu Thomas' Vater, der vollkommen überrumpelt da steht. Er klappt den Mund auf und wieder zu. Dann schüttelt er langsam den Kopf. »Haben dir deine Eltern kein Benehmen beigebracht?«

»Dasselbe könnte ich Sie fragen«, schreit Emma Thomas' Vater an. Kurzerhand bückt sie sich, nimmt eine Handvoll Sägespäne und pfeffert sie ihrem Gegenüber an den schwarzen Mantel. »Und jetzt verschwinden Sie! Sie sind eine Beleidigung für diesen schönen Zirkus!«

Thomas' Vater schnappt nach Luft. Er will etwas sagen, dann jedoch besinnt er sich und zerrt Thomas knurrend aus dem Zelt.

Toulouse blickt den beiden mit Tränen in den Augen hinterher.

Emma umarmt sie. »Weine nicht! Thomas kann nichts dafür, dass sein Vater so blöd ist.«

Ein Clown kommt mit einer Schubkarre angelaufen. Er lässt sie los, springt mit einem Satz über die Piste und hebt Emma über die Einfassung der Manege.

Emma quiekt auf, doch der Clown ignoriert sie und wirft sie kurzerhand auf die gepolsterte Schubkarre.

»Du hast uns gerettet«, ruft der Clown und wirft eine Menge Konfetti in die Luft. »Applaus, Applaus, Applaus für Pippi Langstrumpf!«

Glucksend sitzt Emma in der Schubkarre, während der Clown sie dreimal durch die Manege schiebt.

Der andere Clown animiert die geschockten Zuschauer, zu applaudieren und nach weiteren Showeinlagen konzentrieren sich die Leute wieder auf die Zirkusvorstellung.

Die Joghurtfrisur

»Papa, du glaubst nicht, was heute passiert ist«, sagt Mia beim Abendessen.

»Oh, meine süße Tochter, ich wäre so gerne mit zur Zirkusvorstellung gegangen. Aber ich konnte den Geschäftstermin einfach nicht mehr verschieben«, sagt Mias Papa.

»Du hast wirklich einiges verpasst«, sagt Sophie und blickt ihren Mann ganz traurig an.

»So schlimm?«, fragt Mias Papa und ergreift Sophies Hand.

Mia stellt ihm ein Glas vor die Nase. »Thomas' Vater ist wie aus dem Nichts aufgetaucht und hat Thomas eine Riesenszene gemacht, weil er heimlich in den Zirkus gegangen ist.«

»Ehrlich?« Mias Papa bläst die Backen auf.

»Ehrlich«, sagt Mia und schluckt ihren Bissen Brot hinunter. »Er kam mitten in der Vorstellung ins Zelt…«

»Und hat herumgeschrien«, beendet Sophie Mias Satz.

»Du meine Güte, der arme Junge!«, ruft Mias Papa. Er schüttelt den Kopf. »Was hat sein Vater gesagt?«

»Thomas hat für den Rest seines Lebens Hausarrest«, fällt Mia spontan ein.

Tom Maibaum rümpft die Nase. »Lebenslanger Hausarrest? Ist Hans durchgedreht?«

Sophie seufzt. »Ich glaube, nach der üblen Standpauke wird Thomas ohnehin das Haus nicht mehr freiwillig verlassen. Ich würde es zumindest nicht tun. Es war sehr peinlich.«

»Thomas' Vater hat gesagt, die Zirkusleute sind Zigeuner.«

»Boah, das ist ja ein starkes Stück«, entfleucht es Papa.

»Papa, was sind Zigeuner?«, fragt Mia mit großen Augen.

Mias Papa fährt sich stöhnend durch die Haare. »Nun, ursprünglich hat man Menschen so genannt, die aus Südosteuropa kamen und keinen festen Wohnsitz hatten.«

»Was heißt das? Wo haben sie denn dann gelebt? Etwa auf der Straße?«

»Eher in Zelten und Wohnwagen. Man nennt sie seit jeher auch ›Sinti‹ und ›Roma‹. Eine große Bevölkerungsgruppe, die oft diskriminiert und vertrieben wird«, erklärt Mias Papa.

»Keiner will sie haben«, ergänzt Sophie.

»Und warum hat Thomas Vater gesagt, Toulouse ist eine Zigeunerin?«, hakt Mia nach.

»Ich schätze, er wollte Toulouse beleidigen«, wirft Sophie ein. »Stella, bleib bitte sitzen, wir essen noch!«

Mias kleine Schwester springt von ihrem Hochstuhl und rennt lachend davon. Stöhnend erhebt sich Sophie und rennt ihr hinterher. »Na, warte, du freche Maus! Gleich hab ich dich!«

»Aber warum wollte Thomas' Vater Toulouse beleidigen? Sie hat ihm doch gar nichts getan«, stellt Mia verwundert fest.

Mias Papa räuspert sich. Verlegen lässt er eine Tomate zwischen den Händen hin und her rollen. »Hans Wietmüller gehört nicht gerade zu den tolerantesten Menschen«, beginnt er, »alles, was anders ist, findet nicht seine Zustimmung.«

»Du redest von Schwulen, Ausländern und Zirkusleuten?«, schlussfolgert Mia.

Ihr Papa strubbelt ihr über die Haare. »Genau, meine schlaue Tochter. Hans Wietmüller ist ein verbohrter, engstirniger Mann, der vermutlich nicht einmal sich selbst mag.«

»Mir tut Thomas leid! Das Zirkuszelt war fast bis auf den letzten Platz belegt und ich hätte mich an seiner Stelle so sehr geschämt, dass ich lieber bei Rumpelstilzchen einziehen würde, statt je wieder zur Schule zu gehen.«

»So schlimm?« Mias Papa schüttelt den Kopf. »Na, hoffentlich sieht Thomas das anders. Wir leben in einer kleinen Gemeinde mit zweitausend Einwohnern. Wenn man hier sein Gesicht verliert, dann erholt man sich davon nie wieder.«

»Also ich finde«, sagt Sophie atemlos und setzt Stella wieder auf ihren Hochstuhl, um ihr noch einen Joghurt vor die Nase zu schieben, »der einzige, der heute sein Gesicht verloren hat, ist Hans.«

»Das stimmt, Sophie«, pflichtet Mias Papa seiner Frau zu.

»Du, Papa?«, fragt Mia leise.

»Ja?«

»Was ist ein Wildtierverbot?«

Mias Papa macht große Augen. »Wie kommst du denn jetzt darauf?«

»Thomas' Vater hat vor allen Leuten gesagt, dass er das Wildtierverbot in der Stadt durchsetzen wird«, antwortet Mia. »Und dass der Zirkus dann nie wiederkommen darf.« Sie schiebt ihren leeren Teller von sich und nimmt sich auch einen Joghurt.

Mias Papa lässt seinen Kopf auf die Tischplatte fallen und jammert theatralisch vor sich hin.

Stella lacht und macht es ihm nach. Dabei reißt sie den Joghurt um und landet mit den kleinen Fingern in der Milchspeise. Vergnügt entdeckt sie die Schweinerei und holt mit den Fingern gleich noch mehr Joghurt aus dem Becher, um den Tisch damit einzureiben.

»Stella, lass das!«, ruft Sophie verzweifelt.

Mias Papa schließt müde die Augen. »Ich bin nicht da. Was ich nicht weiß, macht mich nicht heiß.«

Mia kichert.

Auch Stella kichert. Und weil ihr Papa so günstig neben ihr auf dem Tisch liegt, streichelt sie ihm den Kopf mit ihren Joghurtfingern.

»Oh nein, Tom, jetzt musst du aber Haare waschen!«, ruft Sophie entsetzt.

Mias Papa stöhnt. »Prima. Dann gib mir noch mehr Joghurt, Stella-Schätzchen! Vielleicht wachsen mir dann wieder mehr Haare.«

Das lässt sich Stella nicht zweimal sagen. Sie reißt ihrer Mama den Joghurt weg und klatscht ihn ihrem Papa auf den Kopf.

»Ohohohoooo, das ist aber kalt!«, ruft ihr Tom Maibaum erschrocken.

»Ja, kalt«, wiederholt Stella freudig und kremt ihrem Papa die Haare ein.

»Wenn du mit deiner Joghurt-Kopf-Massage fertig bist,

lieber Tom, könntest du dein Abendbrot aufessen und Mia erklären, was es mit dem Wildtierverbot auf sich hat«, sagt Sophie reichlich verärgert.

»Stimmt«, sagt Mias Papa und setzt sich aufrecht hin. Die Haare sind nun rosafarben und stehen durch den vielen Joghurt wild vom Kopf ab.

Grinsend beobachtet Mia ihren Papa.

»Tierschützer wollen verhindern, dass Tiere im Zirkus leben und in der Manege auftreten. Sie sind der Meinung, dass die Tiere dort nicht artgerecht leben können. Also haben sie sich in den Städten Menschen in der Politik und in der Verwaltung gesucht, die auch so denken. Gemeinsam haben sie dann das Wildtierverbot ins Leben gerufen.

In Städten, in denen das Verbot eingeführt werden konnte, weil genug Menschen dafür gestimmt haben, dürfen Zirkusse mit Tieren nicht mehr auftreten«, erklärt Mias Papa.

»Das ist ja schrecklich«, sagt Mia. »Die Tiere sind doch das Schönste am Zirkus.«

»Ich finde die Akrobaten am besten«, wirft Sophie ein, »und das Wildtierverbot wird sich nicht durchsetzen.« Sie steht auf und bringt die leeren Teller zum Geschirrspüler.

»Warum nicht?«, will Mia wissen.

Mias Papa nimmt ihre Hände in seine. »Weißt du, meine Süße, wir hatten zwei Weltkriege, in denen die Rechte der Menschen nicht beachtet wurden. Darum gibt es seit dem 23. Mai 1949 in Deutschland ein Grundgesetz.«

»Und was steht in diesem Grundgesetz?«, fragt Mia.

»Da steht zum Beispiel drin, dass dich niemand am Körper verletzen darf«, antwortet Mias Papa.

»Und dass Kinder zur Schule gehen dürfen«, wirft Sophie ein.

»Kinder müssen sogar zur Schule gehen. Es gibt nämlich nicht nur das Recht auf Schule, sondern vor allem die Schulpflicht«, ergänzt Mias Papa.

»Das ist auch gut so«, bemerkt Sophie, »es gibt auch ohne das Gesetz schon viel zu viele Schulabbrecher.«

»Kinder, die nicht mehr zur Schule gehen wollen?«, platzt Mia erschrocken heraus.

»Ja, genau«, sagt Sophie.

»Das ist aber nicht schön. Was sollen die Menschen denn später Arbeit finden, wenn sie nicht zur Schule gegangen sind?«, fragt Mia.

»Das ist genau das Problem, Mia«, seufzt Sophie. »In Deutschland braucht man meistens einen Schulabschluss, um arbeiten zu können.«

»Was steht denn noch im Grundgesetz?«, will Mia wissen.

»Da steht, dass jeder seinen Arbeitsplatz frei wählen darf. Jeder darf das arbeiten, was er will«, sagt ihr Papa. »Und wenn du nach deiner Schule gerne eine Ausbildung zur Zirkusakrobatin machen willst, dann darf dir das niemand verbieten. Nicht einmal deine Eltern.«

»Du darfst mir nicht verbieten, was ich werden will, wenn ich groß bin?«, fragt Mia überrascht.

Ihr Papa schüttelt den Kopf.

»Cool.«

»Ja, das ist sehr cool. Und nun stell dir vor, du erfüllst dir deinen Traum und arbeitest später mit deinen Pinguinen zusammen. Aber weil ein paar Tierschützer dagegen sind, erwirken sie ein Wildtierverbot. Und schwupps«, Mias Papa lässt seine Serviette über den Tisch segeln, »darfst du mit deinen Pinguinen nicht mehr arbeiten, obwohl du sie immer gut behandelt hast und es ihnen gut geht.«

Missvergnügt knickt Mia ein. »Das klingt ziemlich schrecklich. Mich macht es richtig wütend, dass sich Tierschützer so einmischen.«

»Das ist auch schrecklich. Und weil es das Berufsverbot gab, bevor man das Grundgesetz in Deutschland eingeführt hat, ist es jetzt auch so schwierig, so ein Wildtierverbot heutzutage durchzusetzen. Es ist nämlich wie ein Berufsverbot, wenn die Zirkusse durch das Wildtierverbot nicht mehr in den Städten gastieren dürfen«, sagt Mias Papa, küsst Mia auf den Haarschopf und hilft Sophie, den Tisch abzudecken. »Und genau aus diesem Grund sollten wir abwarten, ob Thomas' Vater wirklich etwas erreichen kann.«

»Und während wir warten, könntest du dir die Haare waschen«, sagt Sophie schmunzelnd.

»Der Joghurt ist für dich, mein Schatz!«

Sophie verdreht die Augen. »Lieb, aber nein, danke!«

Tom Maibaum fasst sich an den Kopf. »Na, gut, ich klebe wie ein angelutschter Gummibär. Ich gehe dann mal duschen.«

***

»Wieso musst du mitfahren? Hattest du nicht gesagt, du bleibst den ganzen Winter in Bärenklau?« Verwirrt streicht sich Thomas durch die Haare.

Ganze zwei Wochen war er krankgemeldet.

Niemand hat ihn gesehen.

Und niemand hat ihn besuchen dürfen.

Es war, als hätte ihn tatsächlich Rumpelstilzchen verschluckt und hinunter in sein Erdreich genommen.

Toulouse ergreift Thomas' Hände. »Ich komme in vier Wochen wieder. Ich muss noch in zwei Städten aushelfen. Der Winter hat ja noch nicht angefangen.«

»Ich finde es blöd, dass du gehen musst«, mischt sich nun auch Emma ein.

Toulouse lächelt. »Ich komme wieder. Versprochen.« Sie dreht sich zu Thomas um und gibt ihm einen schnellen

Kuss auf die Wange.

»Das habe ich aber nicht gesehen, Toulouse«, grölt Frau Cordes mit ihrer lauten Stimme durch den Flur. »Und du Thomas, solltest solche Aktionen lieber bleiben lassen. Sonst kommt dein Vater und brüllt auch diese Schule zusammen«, fügt sie im Vorbeilaufen hinzu. Mit ihrem schweren Rosenparfüm rauscht sie an ihren Schülern vorbei und hinterlässt eine Spur der Verwüstung.

»Wieso haben wir eigentlich so eine blöde Klassenlehrerin erwischt?«, wirft Emma als erste in den Raum.

Mia grinst schief. »Meine Oma sagt immer, wenn wir Menschen begegnen, die wir nicht mögen, sollen wir etwas von ihnen lernen.«

Emma verdreht die Augen. »Ich kann sehr gut auf die Lernstunde bei Frau Cordes verzichten. Ich hätte lieber Frau Müller.«

»Ja, ich auch. Frau Müller ist cool. Aber sie ist ja leider nur die Stellvertreterin von Frau Cordes«, wirft Amelie ein.

»Es gibt immer Mittel und Wege, unangenehme Lehrer loszuwerden«, brummt Thomas kaum hörbar.

»Thomas!«, sagt Mia erschrocken. »Du änderst dich nie, was?«

Thomas zuckt mit den Schultern. »Und du kommst wirklich in vier Wochen wieder zurück?«, fragt er Toulouse noch einmal.

Toulouse nickt. »Ja. Meine Eltern haben eine große Halle gekauft und dort werden wir nach der letzten Show in vier Wochen unser Winterquartier einrichten. Das heißt, ich darf jeden Winter bei euch in die Schule gehen.«

»Hast du es gut«, sagt nun auch die schweigsame Tina. »Wir ziehen morgen weiter und wir haben kein festes Winterquartier.«

»Ihr tretet den Winter in eurem Zelt auf?«, hakt Toulouse verwundert nach. »Ist das nicht etwas zu kalt?«

Tina zuckt mit den Schultern. »Wir gehen nach Spanien und Portugal. Da ist es warm.«

»Wow, du kommst wirklich in der Welt herum«, sagt Nils anerkennend.

Tina schnauft verächtlich. »Wir können gerne tauschen! Ich wäre lieber an einem Ort und würde nur eine Schule besuchen. Alle zwei bis drei Wochen ziehen wir weiter und ich habe keine Gelegenheit, Freunde zu finden.«

»Du hast doch uns gefunden«, wirft Amelie ein, doch Tina schüttelt den Kopf. »Du verstehst das nicht. In ein paar Wochen habt ihr mich vergessen. So ist es immer.«

»Das klingt traurig«, sagt Mia und streichelt mitfühlend Tinas Schulter.

»Das ist es auch. Ich habe das Glück und werde von einer Privatlehrerin unterrichtet. Und Frau Schönfeld ist wirklich toll«, sagt Toulouse.

»Wenn euer riesiger Zirkus eine eigene Lehrerin für die Kinder der Artisten hat, wie kommt es dann, dass du den Winter über trotzdem auf unsere Schule gehst?«, fragt Nils nachdenklich.

Toulouse lächelt. »Meine Eltern haben mich vor die Wahl gestellt. Entweder gehe ich von Oktober bis März hier zur Schule oder ich lasse mich weiterhin von Frau Schönfeld unterrichten.«

»Und du hast dich für unsere Schule entschieden?« Mit großen Augen schaut Thomas seine Auserwählte an.

Toulouse nickt lächelnd. »Natürlich. Die Wahl fiel mir nicht schwer.«

***

»Bald kann Fritz wieder fliegen«, sagt Doktor Hase nach der Untersuchung. »Wir legen dem kleinen Patienten aber trotzdem noch für ein bis zwei Wochen einen Verband an.«

»Das freut uns zu hören, Doktor Hase«, sagt Mias Papa.

»Und du scheinst den kleinen Uhu ja auch sehr zu mögen, was, Mia?« Doktor Hase lächelt.

Mia nickt. »Er ist ein Teil unserer Familie. Und Fridolin mag ihn auch sehr. Sie kuscheln jeden Abend in Fritz Eulenhaus.«

Doktor Hase räuspert sich. »Aber du weißt schon, dass er bald wieder in den Wald fliegen wird, oder? Und es ist möglich, dass er nicht wiederkommt.«

»Herr König sagt, bevor Fritz in die Freiheit entlassen wird, muss er erst das Jagen lernen«, sagt Mia.

Doktor Hase nickt. »Das wäre besser für deinen Uhu. Sonst verhungert er.« Er macht eine Notiz auf einem Zettel und reicht ihn Mias Papa. »Wir sehen uns dann in zwei Wochen wieder.«

Klassenreise mit Folgen

»Ich war noch nie an der Nordsee«, sagt Mia voller Begeisterung.

»Ich auch nicht«, sagt Amelie und springt vor Freude auf und ab.

Mia, Amelie, Emma und Linda teilen sich ein Zimmer im Landschulheim. Sie packen ihre Koffer aus und lassen sich anschließend auf ihren Betten nieder. »Hat Frau Cordes schon gesagt, wann es an den Strand geht?«, fragt Linda und spielt an dem Loch in ihrer rechten Socke.

Mia schaut auf ihre Armbanduhr. »Da wir gerade erst Mittag gegessen haben, sollen wir uns noch eine halbe Stunde lang ausruhen und langsam unsere Taschen packen. Dann geht es ab an den Strand.«

»Ich hätte mich lieber am Strand ausgeruht und mein Gesicht in die Sonne gehalten, statt hier im dunklen Zimmer zu hocken«, murrt Emma.

»Mädels, habt ihr eure Strandtaschen gepackt?«, ruft Frau Cordes unerwartet ins Zimmer.

»Ja, wir sind fertig«, antwortet Mia.

Frau Cordes lächelt. »Schön, dann versammeln wir uns jetzt im Gemeinschaftsraum. Ich möchte noch ein paar Regeln festlegen, bevor wir starten.«

Wortlos ergreifen die Mädchen ihre Taschen und gehen aufgeregt ins Gemeinschaftszimmer, wo schon die Hälfte der Klasse sitzt und leise miteinander schnattert.

So langsam füllt sich der Raum, als Frau Cordes schließlich in die Hände klatscht. »Liebe Schüler, ich möchte noch ein paar Regeln aufstellen, damit wir auch alle wieder heil nach Hause kommen.«

Die Schüler tuscheln noch leise, aber als Frau Cordes dann ihre Stimme erhebt, hören alle gebannt zu.

»Wir bleiben am Strand alle in Sichtweite. Niemand verlässt die Gruppe, ohne sich bei mir oder bei Frau Müller abzumelden«, beginnt Frau Cordes.

»Dürfen wir denn Muscheln sammeln?«, fragt Maja.

Frau Cordes lacht leise. »Natürlich, Maja. Solange ich euch sehen kann und ihr uns.«

»Dürfen wir auch baden gehen?«, fragt Michael.

»Hast du denn überhaupt schon ein Seepferdchen?«, ruft Thomas lachend dazwischen.

Michael schluckt die Reste seines Leberwurstbrotes herunter. »Ja. Nur den Freischwimmer habe ich nicht geschafft.«

Thomas zieht eine Grimasse. »Du hattest wohl zu viel Brot geladen, was?«

»Nee«, entgegnet Michael und errötet, »aber ich war zehn Sekunden zu langsam.«

»Dann musst du mal mehr Sport machen und weniger essen«, mischt sich Lennard ein.

»Sport macht aber nicht so viel Spaß wie essen. Ich werde schon nicht ertrinken«, sagt Michael und lächelt zaghaft.

»Ich bin auch nicht sonderlich schlank und ich kann schwimmen«, eilt Frau Cordes Michael zur Hilfe.

»Genau, weil Fett oben schwimmt«, murmelt Thomas Lennard zu.

Beide kichern leise.

Frau Cordes räuspert sich. »Um deine Frage zu beantworten, Michael, ihr dürft baden gehen. Aber auch hier gilt, dass sich keiner von der Gruppe entfernt. Ich zähle die Schüler vor und nach dem Baden durch.«

»Warum? Haben Sie Angst vor Haien?«, fragt Lucas.

Die Mädchen quieken ängstlich auf.

»Haie?«, rufen Mia und Amelie. Sie ziehen die Köpfe ein und klammern sich demonstrativ aneinander.

»In der Nordsee gibt es doch keine Haie«, sagt Thomas genervt.

»Natürlich gibt es dort Haie«, kommt Nils seinem Freund

Lucas zur Hilfe. »Der Riesenhai wird sogar bis zu zwölf Meter lang. Der Hundshai und der kleingefleckte Katzenhai kommen sogar relativ häufig vor.«

Den Mädchen fallen fast die Augen aus dem Kopf.

Thomas schaut ungläubig zu den beiden Jungs.

Lucas nickt. »Es gibt acht verschiedene Haiarten in der Nordsee. Der Schokoladenhai könnte sogar die Mädels interessieren«, feixt er.

Mia lacht. »Ich liebe Schokolade!«

»Du willst uns auf den Arm nehmen«, ruft Emma, »es gibt doch keine Schokoladenhaie! Das hast du dir ausgedacht.«

»Nein, es gibt wirklich Schokoladenhaie«, sagt Nils und zückt ein Buch über Fische. Er blättert wild darin herum, bis er das Bild vom Schokoladenhai gefunden hat. »Seine Haut ist so dunkelbraun gefärbt, dass man ihm den Namen ›Schokoladenhai‹ verpasst hat. Aber man trifft ihn eigentlich kaum noch in der Nordsee an. Er steht auf der Roten Liste gefährdeter Arten.«

»Was ist denn eine ›Rote Liste‹?«, fragt Linda verwundert.

»Das ist eine Liste von Tieren und Pflanzen, die vom Aussterben bedroht sind«, erklärt Nils.

»Dann wird es Zeit, dass unsere Mädels in der Nordsee baden gehen, damit der Schokoladenhai wieder Futter kriegt«, ruft Thomas und springt erwartungsvoll auf. »Können wir dann endlich los?«

Frau Cordes nickt. »Ja, Mister Ungeduld! Wir starten. Habt ihr alle eure Sonnenmilch eingepackt?«

»Ja«, antwortet die Klasse fast im Chor.

Sie verlassen den Gemeinschaftsraum und schlendern durch die Anlage des Landschulheimes. Ein breiter Sandweg führt durch die hohen Dünen direkt zum Strand.

Lachend und schnatternd legen die Schüler ihre Handtücher in den Sand und ziehen ihre Strandklamotten aus. Frau Cordes legt ihre Sachen gemeinsam mit Frau Müller auf eine Decke. Dann klatscht sie in die Hände. »So, ihr Lieben, wer will denn gleich schwimmen gehen? Ich bitte um Handzeichen, damit ich euch durchzählen kann.«

Es melden sich alle vierundzwanzig Schüler.

»Alle? Prima, dann brauche ich mir keine Notizen zu machen. In einer halben Stunde versammeln sich alle zur Kontrolle am Ufer.«

Während die Mädchen recht vorsichtig ins kalte Wasser waten, laufen die Jungs ausgelassen in die Wellen. Es weht ein kräftiger Wind, und so bleibt es nicht aus, dass auch die eine oder andere Welle recht hoch ist.

»Passt bitte auf, dass euch die Wellen nicht unter Wasser ziehen«, ruft Frau Cordes.

»Und wenn euch eine Welle erwischt, schließt ihr bitte sofort den Mund«, wirft Frau Müller noch ein, aber einige Schüler hören schon gar nicht mehr hin.

Übermütig springen sie in die Fluten und werfen sich immer wieder gegen die hereinkommenden Wellen.

»Komm weiter rein, Mia! Oder hast du etwa Schiss?«, ruft Emma lebhaft.

»Ich traue mich nicht so weit hinaus. Das Meer ist mir ein wenig unheimlich«, antwortet Mia, doch Emma ist schon davon gesprungen und hört sie nicht mehr.

»Du musst mit dem Rücken gegen die Welle springen, wenn sie am höchsten ist«, ruft Nils Mia zu.

Mia nickt.

Sie bleibt trotzdem zunächst vorsichtig weiter am Ufer stehen und genießt einfach nur die Wellen, die um ihre Beine rauschen und kleine Schaumblasen an ihren Beinen hängen lassen.

»Ich bin auch nicht so mutig«, gesteht Amelie und zwinkert Mia zu. »Wollen wir hier am Ufer bleiben und Krokodil spielen?« Amelie geht auf alle Viere und krabbelt durchs Wasser.

Mia lacht und macht es ihr nach.

»Was seid ihr nur für Weicheier«, bemerkt Thomas, als er die beiden Mädchen am Ufer herumpaddeln sieht.

»Wir hängen eben an unserem Leben«, kontert Amelie.

»Wir haben kaum Wind und einen Seegang der Stärke Vier. Da sind nur ein paar Wellenbrecher dabei. Nichts, wovor man sich fürchten muss«, sagt Thomas und verdreht die Augen. »Ihr müsstet die See mal sehen, wenn wir eine Windstärke von Sieben aufwärts haben. Das ist cool. Das reißt den stärksten Mann um.«

»Wenn wir stärkeren Wind und noch höhere Wellen haben, gehe ich gar nicht erst ins Wasser«, sagt Amelie.

»Du bist ein Feigling«, ruft Thomas und taucht ab.

»Dein Cousin ist dir aber auch so gar nicht ähnlich«, sagt Mia kopfschüttelnd.

»Stimmt«, lacht Amelie. »Aber ich kann damit leben. Thomas ist eben ein Draufgänger und Aufschneider.«

Nach einer halben Stunde treffen sich alle Schüler am

Ufer. Frau Cordes zählt durch. »Vierundzwanzig Schüler. Wir sind vollzählig. Wer möchte noch etwas weiter baden und wem wird es zu kalt?«

Nun melden sich nur noch zehn Kinder, die baden gehen wollen.

Während sich Amelie, Linda und Nils in ihre Handtücher eingemummelt ans Ufer setzen, wagt sich Mia mit Lucas, Emma und Michael ins tiefere Wasser.

»Ich helfe dir, Mia. Mach mir einfach alles nach! Und wenn dich eine Welle runterzieht, schließt du sofort den Mund«, weist Emma ihre Freundin an.

Mia nickt.

Sie springt gemeinsam mit Emma hoch, wenn die Wellen am höchsten sind, lässt sich kurz darauf treiben und landet

dann auf beiden Beinen wieder auf dem weichen Meeres-
boden.

»Das macht Spaß«, ruft Mia heiter.

»Jungs, schwimmt nicht so weit raus!«, warnt Emma
Thomas und Lennard, die sich von ihnen entfernen.

»Wir passen schon auf«, ruft Lennard.

»Wartet! Ich komme auch mit«, ruft Michael und folgt
den beiden Jungs.

Emma schüttelt den Kopf. »Sieh nur, wie leichtsinnig die
sind! Sie gehen viel zu tief ins Wasser. Sie können dort
vorne doch kaum noch stehen.«

»Da kommen ein paar Riesenkracher«, hören sie Thomas
rufen.

Die Jungs warten auf die schäumenden Wellen und bleiben dann für die nächsten Sekunden verschwunden.

Mia bleibt fast das Herz stehen.

Auch Emma steht ungewöhnlich still im Wasser und
blickt aufs Meer hinaus.

Dann tauchen drei Köpfe wieder auf.

»Da sind sie!«, ruft Mia erleichtert.

Emma grunzt. »Die Jungs sind echt bescheuert! Das ist
gefährlich und der unsportliche Michael macht ihnen alles
nach, weil er dazugehören will.«

»Mir wird kalt. Wollen wir rausgehen?«, fragt Mia.

Fröstelnd verschränkt sie ihre Arme.

Emma nickt. »Ja, lass uns rausgehen. Mir ist auch kalt.«

Plötzlich hören sie Michael husten und röcheln.

Erschrocken drehen sie sich um.

»Was ist mit ihm?«, fragt Mia und bemerkt die leicht aufsteigende Panik in ihrem Bauch.

»Er hat nur Wasser geschluckt«, entgegnet Emma.

»Er wird ganz rot im Gesicht. Sollen wir ihm helfen?«

»Ich mache das. Ich bin Rettungsschwimmerin«, sagt Emma und taucht auch schon ab.

Erstaunt blickt Mia ihr hinterher.

Sie ist beeindruckt von Emma. Es scheint nichts im Leben zu geben, was Emma umhaut. Für alles hat sie eine Lösung und nun sagt sie auch noch, dass sie Rettungsschwimmerin ist.

»Ich helfe dir«, ruft Frau Cordes und springt ebenfalls in die Fluten.

»Sie hätten ihn nicht retten müssen«, bläst sich Thomas auf, als sie das Wasser verlassen. »Es geht ihm gut. Er hat nur ein bisschen Wasser geschluckt.«

»Das hätte ich auch nicht tun müssen, wenn ihr besser aufgepasst hättet«, beschwert sich Frau Cordes. Wütend zieht sie Michael an der Hand aus dem Wasser, während Thomas und Lennard ihr blöde Kommentare an den Kopf werfen. »Ich habe jetzt nämlich vor Schreck auch eine Menge Wasser geschluckt.«

»Sind Sie in Ordnung?«, fragt Frau Müller besorgt.

»Michael war wohl etwas zu weit draußen und hat Wasser geschluckt. Aber die beiden Jungs hier haben ja nichts besseres zu tun, als ihm beim Absaufen zuzugucken«, erklärt Frau Cordes aufgebracht.

»Er ist nicht abgesoffen. Wir waren doch bei ihm«, ruft Thomas verärgert.

»Außerdem ist Michael alt genug, um auf sich selbst auf-
zupassen. Wenn er so weit rausschwimmt, muss er das
auch können«, verteidigt Lennard seine Ehre.

»Geht es dir wirklich gut, Michael?«, fragt Frau Cordes
besorgt. Sie hustet selbst und versucht, das geschluckte
Wasser wieder loszuwerden.

Michael nickt. »Ja, ja. Ich habe nur nicht mit der zweiten
Welle gerechnet. Ich habe ein bisschen zu viel Salzwasser
geschluckt. Jetzt ist mir etwas übel.«

»Und deine Leberwurst-
brote sind bestimmt
alle, oder?«, witzelt
Thomas.

Frau Cordes verzieht die
Augenbrauen. »Tho-
mas, was soll das? Das
ist nicht hilfreich. Hol
lieber das Handtuch
von Michael!«

Murrend laufen Tho-
mas und Lennard zu
ihrem Platz. Suchend
sehen sie sich um,
doch sie können Mi-
chaels Handtuch nicht
finden. »Hier ist kein Handtuch von Michael.«

Emma stürmt an Mia vorbei und greift nach einem dun-
kelgrünen Handtuch. Sie wirft den beiden Jungs einen ge-
nervten Blick zu und reicht Michael das Handtuch.

»Danke! Ich glaube, heute gehe ich nicht mehr baden«, sagt er und lässt sich im heißen Sand nieder.

***

»Wo ist Frau Cordes?«, fragt Thomas selten mitfühlend.

Frau Müller blickt von ihrem Frühstücksteller auf. »Ich glaube, sie ist krank. Es ging ihr heute Morgen nicht so gut.« Sie erhebt sich, als im selben Augenblick Lennard und Michael den Speisesaal betreten.

Michael ist leichenblass und wird von Lennard gestützt.

Frau Müller springt auf und platziert Michael an einem freien Tisch. »Michael, was ist los? Geht es dir nicht gut?«

Michael fasst sich an den Bauch. »Mir ist so übel.« Bevor irgendjemand reagieren kann, erbricht Michael.

Frau Müller verdreht die Augen, während die anderen Kinder kreischend davonspringen.

»Oh Mann, und das zum Frühstück«, jammert Lucas und hält sich gleich den Bauch.

»Hast du dir gestern den Magen verdorben?«, fragt Frau Müller und holt mit einer Angestellten des Landschulheimes Handschuhe und Eimer.

Michael zuckt mit den Schultern. »Keine Ahnung. Mein Bauch tut weh.« Er hustet. »Mir ist so schlecht. Ich kriege kaum Luft. Mir tut alles weh.«

Frau Müller streichelt Michaels Arm. »Frau Cordes hat dieselben Symptome. Bestimmt habt ihr einen Magen-Darm-Virus erwischt. Ich rufe gleich deine Eltern an. Sie werden dich abholen und zuhause wirst du wieder gesund.«

Frau Müller holt ihr Handy und die Klassenliste aus der Tasche, und ruft Michaels Eltern an. Sie sieht noch einmal nach ihrer Kollegin und schickt dann auch diese nach Hause. Als Ersatz kommt Herr Wiesenthal aus der Klasse 6a, damit die Klassenreise ungestört fortgeführt werden kann.

Eine Stunde später holen Michaels Eltern ihren Sohn ab.

»Er hat sich bestimmt den Magen verdorben«, mutmaßt Frau Müller. »Oder einen Virus erwischt.«

Michaels Mutter streichelt ihrem Sohn seufzend über den Kopf. »Wir päppeln dich zuhause wieder auf!«

»Kannst du laufen?«, fragt Michaels Vater.

Michael schüttelt den Kopf. »Ich fühle mich so schwach, Papa. Mir tut alles weh.«

Michaels Vater atmet einmal tief durch, dann hat er seinen Sohn auch schon auf die Arme gehoben und trägt ihn nach draußen.

Schocknachricht

»Die Klassenreise war so cool«, schwärmt Mia, als sie auf Emma trifft.

»Das war sie. High Five!«, sagt Emma und hält ihre rechte Hand in die Höhe.

Mia klatscht ihre Hand ab und lacht.

»Ich fand es auch toll. Und die Muscheln sind richtig schön.« Amelie holt eine kleine Holzschachtel aus ihrem Ranzen, die mit bunten Muscheln beklebt ist.

»Die hast du gebastelt?« Anerkennend betrachtet Emma die Schachtel. »Sie sieht klasse aus.«

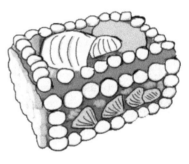

»Danke«, sagt Amelie und lächelt schüchtern.

»Guten Morgen, Kinder«, sagt Frau Müller und atmet so schwer, dass alle Gespräche im Klassenzimmer sofort verstummen. Die Lehrerin legt schweigend ihre Tasche auf das Pult und bricht schließlich unvermittelt in Tränen aus.

Erschrocken rutschen alle Kinder auf ihre Stühle und starren nach vorne zu der stellvertretenden Klassenlehrerin.

»Frau Müller, geht es Ihnen nicht gut? Die Klassenreise war doch so toll«, sagt Linda mitfühlend.

Frau Müller nickt und versucht zu antworten, aber es gelingt ihr nicht.

Es klopft an der Tür und die Schulleiterin Frau Hafer kommt mit einer weiteren Frau herein.

Staunend verfolgen die Kinder, wie Frau Hafer ihre stellvertretende Klassenlehrerin in den Arm nimmt und sie tröstet.

»Liebe Schüler, wir möchten euch jemanden vorstellen«, sagt Frau Hafer und deutet auf die unbekannte Frau, die gerade dabei ist, ihren grünen Mantel an einen Haken zu hängen. »Das ist Anika Glück. Sie kommt vom Hospiz[9].« Frau Hafer entfernt ihren Arm von Frau Müllers Schulter und wendet sich an die Klasse. »Liebe Schüler und Schülerinnen, wir haben euch leider eine traurige Mitteilung zu machen…«

Alle halten den Atem an.

»Frau Cordes ist vor zwei Tagen von uns gegangen«, sagt Frau Hafer etwas holprig.

»Hä? Was soll das heißen?«, fragt Lennard perplex. »Hat sie die Schule gewechselt?«

»Bestimmt, weil wir den Zirkus mögen«, witzelt Thomas leise.

Frau Glück räuspert sich und zieht ihre Strickjacke über den leichten Bauchansatz. »Frau Cordes ist am Wochenende gestorben, heißt das.«

Der Schrecken steht den Kindern deutlich ins Gesicht geschrieben, und weil Frau Müller nun in hemmungsloses

---

[9] Ein Hospiz ist eine Einrichtung, in der sich Menschen um unheilbar erkrankte Kinder und Erwachsene und deren Angehörige kümmern.

Schluchzen ausbricht, kommen auch dem Großteil der Schüler die Tränen.

»Warum?«, fragt Mia bestürzt und nimmt das Taschentuch von Emma entgegen. »Warum ist Frau Cordes tot?«

»Ist sie etwa an einer Lebensmittelvergiftung gestorben?«, fragt Emma. »Oder an dem Virus?«

»Und was ist dann mit Michael? Er hat doch auch gespuckt«, ruft Nils erschrocken.

Frau Müller jault nun auf und Frau Glück bittet Frau Hafer, die Lehrerin aus dem Raum zu führen.

Sie nimmt etwas Kreide und schreibt ihren Namen an die Tafel. »Ich bin Anika Glück und ich arbeite seit zwanzig Jahren im Hospiz. Wir kümmern uns um Menschen, die sterben und um diejenigen, deren Freunde oder Verwandte im Sterben liegen oder bereits gestorben sind.«

»Dann haben Sie sich ja einen furchtbaren Namen für diesen Job ausgesucht«, rutscht es Emma heraus.

Erschrocken hält sie sich eine Hand vor den Mund.

Frau Glück lächelt sanft. »Ich weiß. Glück verbindet man nicht mit Sterben. Aber vielleicht ist es ein Glück, dass ich helfen kann, wenn Menschen sterben.«

»Warum ist Frau Cordes gestorben?«, fragt Lucas fast tonlos. »Ist Michael dann auch in Gefahr?«

»Sie ist ertrunken«, antwortet Frau Glück.

»Wie soll das denn gehen?«, ruft Lennard empört.

»Unmöglich. Sie ist doch mit uns quicklebendig aus dem Wasser gestiegen«, ruft Thomas dazwischen.

Frau Glück nickt seufzend. »Das, was Frau Cordes passiert ist, nennt man ›sekundäres Ertrinken‹. Sie muss beim

Rettungsversuch von Michael durch eine Welle Wasser eingeatmet haben. Bei einem Kind reichen schon wenige Esslöffel Wasser in der Lunge, damit es im Nachhinein ertrinken kann. Bei Erwachsenen reicht ein Trinkglas aus.«

Lennard schlägt sich eine Hand auf den Mund. »Oh Gott, dann sind wir schuld!«

»Spinnst du?«, ruft Thomas kopfschüttelnd.

»Wir sind zu weit rausgeschwommen und Michael wollte unbedingt mit uns mithalten«, ruft Lennard verärgert.

»Wir hätten auf die Mädchen hören und nicht so weit rausschwimmen sollen. Jetzt haben wir Michael und Frau Cordes gefährdet.« Schniefend wischt er sich eine Träne aus dem Auge. »Wenn wir nicht so leichtsinnig gewesen wären, wäre sie uns nie gefolgt und nicht ertrunken.«

»Was ist mit Michael?«, wiederholt Emma die Frage von Nils.

»Michael hat auch Wasser eingeatmet. Aber Michaels Eltern haben die Gefahr rechtzeitig erkannt und ihn in ein Krankenhaus gebracht. Er wird vermutlich nächste Woche wiederkommen«, erklärt Frau Hafer, die den Klassenraum wieder betreten hat.

»Ich verstehe das nicht. Wie kann Frau Cordes ertrunken sein?«, keift Thomas fast. »Sie war doch noch am Leben, als sie aus dem Wasser kam.«

»Sie ist hinterher ertrunken«, kontert Lennard genervt.

»Sekundär«, wirft Emma trocken ein.

»Wie soll das denn gehen?«, ruft Thomas verzweifelt.

»Jungs, nun beruhigt euch wieder!«, sagt Frau Hafer mit

strenger Miene.

»Wenn ein Mensch sekundär ertrinkt, bedeutet das, dass derjenige nicht gleich im Wasser, sondern erst Tage nach dem Baden stirbt. Weil er Wasser in die Lunge eingeatmet hat und das Wasser nicht wieder herausgekommen ist«, erklärt Frau Glück mit ihrer ruhigen Stimme. »Wenn man die Symptome nicht erkennt, dann machen sich alle Vorwürfe, weil man mit Medikamenten noch hätte helfen können. Am meisten Vorwürfe macht sich sicherlich Herr Cordes.«

»Warum? Weil er nicht erkannt hat, was seine Frau hat?«, ruft Linda und verschränkt ängstlich die Arme vor der Brust.

»Genau. Weil er mit seiner Frau nicht rechtzeitig zu einem Arzt gegangen ist. Wenn ein Mensch nach dem Baden anfängt zu spucken, ist das ein Alarmzeichen. Dann sollte man ins Krankenhaus fahren und abklären lassen, ob Wasser in die Lunge gekommen ist«, erklärt Frau Hafer schniefend.

»Woran erkennt man denn, dass jemand nach dem Baden ertrinkt?«, fragt Nils.

»Derjenige hat Übelkeit, Erbrechen, Schmerzen im Brustkorb, Husten und zuerst sind die Betroffenen sehr unruhig und dann plötzlich müde. Sie können auch Fieber bekommen«, erklärt Frau Glück.

»Dann kann man das also im Krankenhaus behandeln lassen? So wie bei Michael?«, wirft Lotta ein.

Ihre Mutter ist Ärztin.

Darum interessiert sie das besonders.

»Genau. Man kann den Betroffenen Medizin geben. Leider denken die meisten Eltern, dass ihre Kinder sich den Magen verdorben haben und kommen nicht darauf, dass ihre Kinder Wasser in der Lunge haben könnten«, sagt Frau Glück. »Darum ist das so gefährlich.« Sie stellt einen großen Koffer in Form eines Sarges auf den Tisch.

Die Kinder zucken zurück.

»Igitt, ein Sarg!«, ruft Lennard erschrocken.

»Das ist ja geschmacklos«, sagt Emma voller Empörung.

Frau Glück blickt sie freundlich an. »Warum, Liebes?«

Emma verzieht das Gesicht. »Weil das ein kleiner Kindersarg ist.«

Alle Kinder atmen erschrocken ein.

»Haben Sie da etwa ein Kind drin?«, ruft Lennard.

»Oder Frau Cordes?«, platzt Nils heraus.

Alle Kinder stöhnen laut auf.

Frau Glück hebt die Hände. »Kinder, beruhigt euch bitte!« Sie öffnet den Sarg. »Das ist ein Museumskoffer. Wir nennen ihn ›Vergissmeinnicht‹.«

»Da sind ja Bücher und Schreibsachen drin«, sagt Linda erstaunt, die sich als einzige getraut hat, hinein zu gucken.

134

»Richtig.« Frau Glück holt ein paar Bücher und Karten heraus. »Ich würde euch gerne eine kleine Geschichte vorlesen. Wer möchte, kann dabei ein Bild malen.«

»Soll das ein Bild von Frau Cordes werden?«, fragt Mia.

»Das darfst du selbst entscheiden. Du kannst ein Bild von deiner Lehrerin malen, wie du sie gerne in Erinnerung hast…«

»Beim Streiten mit Anna vorm Tierheim«, versucht Lennard zu witzeln. Aber es lachen nur wenige Kinder.

»Ich male Frau Cordes im Himmel«, sagt Mia.

Thomas rümpft die Nase. »Glaubst du wirklich, sie ist jetzt im Himmel und sitzt da oben auf einer Wolke?«

»Warum nicht, du Lackaffe!«, schimpft Emma. Schützend richtet sie sich vor Mia auf.

»Selber«, murrt Thomas, wagt es aber nicht, noch ein Wort gegen Emma zu erheben.

»Kinder, beruhigt euch bitte! Niemand weiß, was nach dem Tod passiert. Wir wissen nur, was mit dem Körper passiert«, sagt Frau Glück.

»Was passiert denn mit dem Körper?«, fragt Nina schüchtern.

»Was wohl«, platzt Lennard heraus, »er wird begraben.« Einige Kinder verziehen das Gesicht.

»Dann kriegt Frau Cordes doch keine Luft mehr«, sagt Nina kaum hörbar.

»Wenn sie tot ist, atmet sie sowieso nicht mehr«, entgegnet Emma leise. Verstohlen wischt sie sich eine Träne aus dem Augenwinkel.

»Woher willst du denn das wissen?«, fragt Thomas pampig.

»Meine Mutter ist vor zwei Jahren gestorben«, sagt Emma leise.

Mia atmet erschrocken ein.

Dann streichelt sie Emmas Arm. »Das ist ja schrecklich!«

Emma nickt. Sie atmet tief ein, dann streckt sie ihren Rücken durch. »Ja, aber ich bin stark. Ich schaffe das auch ohne meine Mama. Außerdem passt sie auf mich auf.«

»Wie soll das denn bitte gehen?«, raunzt Thomas sie an.

Emma wirft ihm einen bitterbösen Blick zu. »Das geht dich gar nichts an, Thomas Wietmüller.«

»Viele Menschen glauben daran, dass die Verstorbenen auf die Lebenden aufpassen«, erklärt Frau Glück. »Und das ist auch in Ordnung. Es hilft, den Verlust besser zu verkraften.«

»Kinder, wir hören jetzt die Geschichte von Frau Glück an. Holt eure Malsachen heraus und malt ein Bild!«, sagt Frau Hafer leicht verärgert.

»Ich möchte nicht malen«, sagt Nils.

»Dann hörst du einfach nur zu«, entgegnet Frau Hafer.

Während Frau Glück eine Geschichte von Tim und seinem Opa vorliest, malen einige Kinder ein Bild.

Als es zur Pause klingelt, bleiben alle sitzen.

»Wenn ihr möchtet, dürft ihr jetzt eure Frühstückspause machen«, sagt Frau Hafer zu den Schülern.

Doch die Schüler schütteln den Kopf.

»Wir wollen die Geschichte erst zuende hören«, sagt Lennard.

»Können wir nach der Geschichte etwas essen?«, fragt

Mia.

Frau Hafer nickt. »Natürlich. Dann lesen Sie bitte weiter, Frau Glück.«

»Das mache ich. Und morgen bringe ich Steine und Malsachen mit. Wir können für Frau Cordes Beerdigung etwas basteln, um uns zu verabschieden.«

***

»Schätzchen, du bist so still«, sagt Mias Papa während des Abendessens.

Mia drückt Fritz kurz an sich, dann reicht sie dem Uhu noch eine Heuschrecke. »Ich habe so ein Drücken in der Brust.«

Sophie fasst an Mias Stirn, aber die ist kalt. »Fieber hast du nicht. Hoffentlich wirst du nicht krank.«

Stella rutscht über den Tisch zu Mia und fasst an ihre Wange, weil sie nicht an der Stirn ankommt. »Pieber hast du nich'«, wiederholt sie. Dann patscht sie Mia lachend auf den Arm. »Du nich' krank.«

Mia lächelt ihre kleine Schwester an. »Nein, ich bin nicht krank. Ich bin traurig.«

»Was ist passiert, Mia. Willst du es uns erzählen?«, fragt ihr Papa einfühlsam.

Mia schluckt.

Sie traut sich gar nicht, die schreckliche Nachricht auszusprechen. Wenn sie das tut, wird Frau Cordes' Tod so real. Eilig blinzelt sie die Tränen weg.

»Oh Süße, komm her!« Mias Papa nimmt den Uhu, während Sophie Mia in ihre Arme nimmt und ihr über den

Kopf streichelt.

»Michael…«

»Hattet ihr Streit?«, rätselt Sophie.

»Micha dudu«, sagt Stella und rutscht über den Tisch zurück auf ihren Hochstuhl.

Mia schüttelt den Kopf.

»Hat er dich gehauen?«, mutmaßt Mias Papa.

Mia seufzt. »Er ist…im Krankenhaus. Er hat Wasser eingeatmet. Und Frau Cordes auch. Und sie ist daran gestorben.«

Ganz leise ist der letzte Satz aus ihrem Mund gerutscht und doch ist es, als wenn die Zeit plötzlich stillstehen würde. Es ist mucksmäuschenstill in der Küche, nur das Ticken der Wanduhr ist zu hören.

Sogar Stella blickt neugierig, aber schweigend in die Gesichter ihrer Familie.

»Was?«, platzt Tom Maibaum unvermittelt heraus. »Deine Klassenlehrerin ist…tot?« Selbst er kriegt das Wort kaum über die Lippen.

»Oje, und ich habe mich beim Schulamt noch mit ihr gestritten, weil sie die Broschüren von der ›TOGA‹ wieder einsammeln muss«, sagt Sophie zerknirscht. Sie drückt Mia noch fester an sich und fängt gleich mit an zu weinen. »Mia, meine Mia, das ist ja schrecklich! Wie konnte das passieren?«

Mia schluchzt und ist erst nach wenigen Minuten in der Lage zu antworten. »Michael wäre auch fast ertrunken. So wie Frau Cordes. Aber nicht gleich im Wasser, sondern viel später.«

Fritz will nicht länger auf Tom Maibaums Schoß sitzen und hüpft auf den Tisch. Er tapst zu Mia und lässt sich in ihre Arme fallen.

»Wie? Das verstehe ich nicht«, sagt Mias Papa. »Wie kann man denn später ertrinken?«

»Oh, davon habe ich schon gehört, Tom! Man nennt das *›sekundäres Ertrinken‹*«, sagt Sophie.

Mias Papa macht ein erstauntes Gesicht. »Gute Güte, so etwas gibt es? Das klingt aber gruselig.«

»Das ist es auch«, sagt Mia und nimmt dankend das Taschentuch von ihrem Papa entgegen. »Michael und Frau Cordes haben auf der Klassenreise beim Baden Wasser eingeatmet. Dann sind beide aus dem Wasser herausgekommen und niemand hat etwas gemerkt.«

»Und dann?«, hakt Mias Papa nach.

Ihm ist plötzlich ganz kalt.

Er steht auf und schließt das Fenster.

»Am nächsten Tag haben sie gehustet und gespuckt. Und dann wurde Michael von seinen Eltern abgeholt«, erinnert sich Mia. »Und Frau Cordes ist auch nach Hause gefahren.«

»Und Michael lebt noch?«, fragt Sophie überrascht.

»Ja, Frau Hafer hat gesagt, dass die Eltern rechtzeitig erkannt haben, was mit Michael los ist. Er hat im Krankenhaus Medizin bekommen.«

»Und bei Frau Cordes hat das niemand erkannt?«, hakt Sophie nach.

Mia schüttelt den Kopf. »Nein. Herr Cordes hat gedacht, seine Frau hat sich den Magen verdorben. Dabei hatte sie Wasser in der Lunge und ist die Tage nach dem Baden daran erstickt. Darum war Frau Glück vom Hospiz heute da. Sie hat eine Geschichte vorgelesen. Von Tim und seinem Opa, der gestorben ist. Wir haben dazu Bilder gemalt.« Mia trinkt einen Schluck Wasser.

Mias Papa plumpst vor Schreck fast vom Stuhl. »Boah, was es nicht alles gibt! Ich wusste gar nicht, dass Baden so gefährlich sein kann.«

Mia nickt und wischt sich die Tränen ab. »Frau Glück hat gesagt, wenn Kinder nach dem Baden unruhig werden, spucken und husten, dann soll man mit ihnen ins Krankenhaus gehen.«

»Das bedeutet ja, dass Frau Cordes noch leben würde, wenn sie oder ihr Mann richtig gehandelt hätten«, sagt Mias Papa nachdenklich. Fahrig wischt er sich übers Gesicht. »Mann, Mann, Mann! Das hätte mir auch passieren können, weil ich noch niemals davon gehört habe, dass jemand sekundär ertrinken kann. Ich glaube, anstelle von Herrn Cordes würde ich mein Leben lang nicht mehr froh werden!«

»Ja, er muss sich große Vorwürfe machen«, sagt auch Sophie. »Ein Glück, dass Michaels Eltern so umsichtig waren. Sonst wäre er auch daran gestorben.«

»Ja. Und Morgen malen wir Steine an. Die legen wir dann auf Frau Cordes Grab, hat Frau Glück gesagt«, erzählt Mia. »Ich habe noch einen Brief von Frau Hafer bekommen. Weil doch Frau Cordes nicht mehr da ist.« Mia springt auf und holt den Zettel aus ihrem Ranzen.

Mias Papa wischt sich über die Augen.

»Weinst du, Papa?«, fragt Mia erschrocken.

Sie hat ihren Papa erst einmal weinen sehen. Und das war, als ein paar Männer sie und Amelie im Park umzingelt hatten. Damals war Mias Papa sehr geschockt gewesen, dass so etwas passiert war.

»Ja, mein Schatz, die Sache geht mir sehr nahe«, gesteht Mias Papa leise. »Ich hätte auch nicht gewusst, dass man ins Krankenhaus fahren und Medizin bekommen muss. Ich wäre genauso doof gewesen wie Herr Cordes.«

Sophie streckt die Hand nach ihm aus. »Aber Tom, das hat doch nichts mit Dummheit zu tun. Man kann nicht alles wissen. Familienkuscheln?«

Mias Papa nickt. Er steht auf, nimmt Stella auf den Arm und umarmt Mia und Sophie. Fritz fiept leise auf Mias Schoß, dann springt er runter auf den Fußboden, um in sein Eulenhaus zu hüpfen.

Trauerarbeit

»Guten Morgen, liebe Kinder«, sagt Frau Glück.

»Guten Morgen Frau Glück«, antwortet die Klasse 5b im Chor.

Mia meldet sich. »Frau Glück, wo ist denn Frau Müller?«

»Frau Müller hat sich krankgemeldet. Der Tod von Frau Cordes hat sie sehr mitgenommen«, entgegnet Frau Glück.

»Das finde ich blöd«, sagt Thomas. »Frau Müller kann einfach zuhause bleiben. Und wir müssen zur Schule gehen.«

»Genau. Wir trauern auch«, wirft der sonst so stille Nils ein.

Frau Glück räuspert sich. »Da habt ihr sicherlich Recht. Aber Frau Müller ist erwachsen und somit kann ihr niemand vorschreiben, was sie tut.« Sie holt ein paar Karten heraus und hält sie in die Höhe. »Das sind Gefühlskarten. Wer möchte eine Karte an die Tafel hängen?«

Linda meldet sich. Sie steht auf und nimmt eine ›Wut-Karte‹, um sie an die Tafel zu hängen.

»Warum bist du wütend, Linda?«, fragt Frau Hafer, die bisher niemand bemerkt hat, weil sie still in einer Ecke gesessen hat.

»Ich bin wütend auf Frau Müller. Sie macht sich einfach aus dem Staub. Wir fühlen uns auch schlecht, weil Frau Cordes…«, sie stockt.

»Tot ist?«, hilft Frau Glück aus.

Linda nickt.

»Mir ist die Brust auch ganz schwer«, wirft Mia ein. Sie steht auf und hängt die ›Traurig-Karte‹ an die Tafel.

»Das hast du sehr schön beschrieben, Mia«, sagt Frau Glück lächelnd.

»Aber warum ist das so?«, fragt Mia nachdenklich.

»Gefühle wie Wut, Trauer und Angst hängen ganz eng mit unserem Körper zusammen. Es gibt Forscher in Finnland, die haben herausgefunden, dass Emotionen wie Trauer tatsächlich dazu führen, dass unsere Arme und Beine ganz schwer werden und sich unsere Brust so anfühlt, als wenn ein schwerer Troll darauf sitzt.«

»Haben die Forscher wirklich von Trollen geredet?«, hakt Emma fast ein wenig amüsiert nach.

Frau Glück lächelt kopfschüttelnd. »Nein, der Troll entspringt meiner Vorstellung.«

»Und wo fühlt man Furcht?«, fragt Nils neugierig.

»Furcht haben die Testpersonen vor allem im Oberkörper gespürt, am stärksten in der Nähe des Herzens«, antwortet Frau Glück.

»Und Freude?«, will Emma wissen.

»Freude kann man im ganzen Körper spüren. Bis in die Fingerspitzen, aber am stärksten im Kopf und in der Brust.« Frau Glück malt ein paar Figuren an die Tafel mit den Begriffen ›Furcht‹, ›Freude‹, ›Trauer‹ und ›Wut‹. Mit roter Kreide kreist sie die Körperstellen ein, in denen die Testpersonen etwas gespürt haben.

»Und die Liebe«, sagt Frau Glück, »spürt man hier!« Sie kreist auf der Figur an der Tafel den Kopf und Oberkörper ein. »Ich spiele euch nun ein Hörspiel vor über eine Geschichte, in der es um Liebe geht.«

Einige Jungs stöhnen.

»Liebe ist was für Mädchen«, posaunt Thomas heraus.

»Na, das erzähl mal Toulouse, wenn sie wiederkommt, Thomas!«, sagt Emma trocken.

Mia lächelt und Emma zwinkert ihr zu.

Thomas bekommt einen hochroten Kopf.

»Jetzt wird's Thomas bestimmt warm im Kopf und in der Brust«, sagt Hannes lachend.

»Quatsch!«, sagt Thomas. »Wollten wir nicht Steine anmalen, Frau Glück?«, lenkt er vom Thema ab.

Frau Glück deutet auf die vielen runden Steine, die in einer Kiste liegen. »Ja, natürlich. Nehmt euch bitte alle einen Stein und etwas Farbe, und dann könnt ihr die Steine anmalen, während ich die Geschichte abspiele.« Sie schaltet den CD-Player an, sobald alle wieder mit ihren Steinen auf ihren Plätzen sitzen. Sie setzt sich an das Lehrerpult, um ebenfalls einen Stein anzumalen.

***

»Ein Hoch auf deinen Papa, Mia«, sagt Emma und deutet auf ihren übergroßen Eisbecher.

»Ja, es ist wirklich spendabel, dass dein Vater uns allen ein Rieseneis bezahlt hat«, sagt Amelie und verdreht genießerisch die Augen.

»Mh«, beginnt Mia, die nicht gleich antworten kann, weil sie zu viel Erdbeereis im Mund hat, »mein Papa hat gesagt, dass man Trauer am besten mit einer großen Portion

Eis bearbeitet.«

»Ich glaube, damit hat er Recht«, sagt Nils. »Es ist trotzdem merkwürdig, dass Frau Cordes nicht wiederkommt. Es ist, als ob sie weggezogen ist.«

»Ehrlich gesagt, bin ich geschockt, dass Frau Cordes so plötzlich gestorben ist. Aber ich mochte sie nicht sonderlich. Jetzt haben wir bestimmt Frau Müller als Klassenlehrerin. Ich habe ein ganz schlechtes Gewissen, weil ich das gut finde« gesteht Mia.

»Geht mir ähnlich, Mia«, stimmt Emma ihrer Freundin zu.

Amelie legt ihre Geldbörse auf den Tisch. »Das nächste Eis geht auf uns. Unsere Mami hat uns nämlich heute auch Geld für eine Eisrunde mitgegeben.«

Mia stöhnt leise. »Oje, nochmal vier Kugeln Eis? Danach gefriere ich zur Eisstatue.«

»Besser als zu ertrinken, oder?«, wispert Thomas ihr ins Ohr. Er und Lennard haben gerade die Eisdiele betreten und laufen an ihnen vorbei zur Eistheke.

Emma grunzt. »Sehr einfühlsam, Herr Anwalt.«

Thomas schneidet eine Grimasse.

»Dafür ist Thomas doch bekannt«, sagt Linda, »ich frage mich, was Toulouse von ihm will. Er ist ein Eisklotz!«

»Dann braucht er sein Eis ja gar nicht mehr zu essen und kann es mir abgeben«, sagt Nils schmunzelnd.

Emma stößt ihm gegen den Oberarm. »Oh doch, schließlich muss er ein Eisklotz bleiben. Ohne Eis schmilzt er vermutlich wie Butter in der Sonne.«

Die fünf Freunde lachen leise.

Kaum haben Thomas und Lennard ihr Eis gekauft, schlendern sie zu ihnen herüber.

»Können wir uns zu euch setzen?«, fragt Thomas mit der nettesten Stimme, die er aufbringen kann.

Emma dreht sich verwundert um. »Mit wem redet er? Etwa mit uns?«

»Ja, mit euch«, sagt Lennard ungeduldig. »Also, was ist, dürfen wir uns zu euch setzen?«

»Warum?«, will Emma wissen. »Wollt ihr uns ausspionieren?«

»Nein. Nur etwas nette Gesellschaft haben«, antwortet Thomas zur Überraschung aller.

Nils schiebt seinem Cousin einen Stuhl hin. »So nett warst du noch nie. Was ist mit dir passiert?«

Thomas setzt sich. Zunächst schaut er nur schweigend auf sein Eis, dann blickt er die anderen an. »Ich glaube, ich war lange genug ein Ekel. Das Leben ist manchmal verdammt kurz. Darum dachte ich mir, ich könnte etwas netter sein.«

Emma bläst die Backen auf. »Es geschehen noch Wunder! Da hast du ja glatt etwas aus der Sache mit Frau Cordes gelernt.«

Thomas nickt und schweigt.

Nun setzt sich auch Lennard. »Ich glaube, wir haben alle etwas daraus gelernt. Und wenn ich das nächste Mal im Meer baden gehe, passe ich besser auf.«

Der Neue

»Ich glaube, Thomas verändert sich«, sagt Mia, als sie am Nachmittag auf dem Sofa sitzt und etwas Schokolade nascht.

»Wie meinst du das?«, hakt Sophie nach. Sie sitzt auf dem Teppich im Wohnzimmer und spielt mit Stella Ball.

»Nun«, schmatzt Mia, »er wird manchmal so nett. Und gestern hat er sich in der Eisdiele zu uns gesetzt. Weißt du, was er gesagt hat?« Aufgeregt stopft sich Mia noch ein weiteres Schokoladenei in den Mund.

Nun hat auch Stella die Schokolade entdeckt.

Freudig springt sie auf und angelt sich ebenfalls ein Ei.

Bevor Mia reagieren kann, kaut Stella auch schon darauf herum.

»Das ist meine Schokolade, Stella. Du bist noch zu klein dafür«, sagt Mia und streichelt den Kopf ihrer Schwester.

Stella schiebt ihre Hand weg. »Nich' zu klein. Bin groß.

Auch Hobobombs haben.« Sie greift erneut zu und hat ein weiteres Ei im Mund. Genüsslich kaut sie darauf herum.

»Das ist schon okay, Mia. Stella kann ruhig ein oder zwei probieren«, sagt Sophie. »Aber pass bitte auf, dass Fritz und Fridolin keine Schokolade mopsen.«

Fritz und Fridolin sind gerade durch die Terrassentür hereingekommen und hüpfen gemeinsam um den Tisch. Fritz versucht immer wieder abzuheben, Fridolin will es ihm nachmachen. Dabei stoßen sie glatt den leeren Becher von Stella um.

Stella findet das toll und rennt den beiden Tieren hinterher.

»Was hat Thomas denn gesagt?«, will Sophie wissen, während sie Stella einfängt.

»Er meinte, das Leben sei zu kurz, um ein Ekel zu sein«, platzt Mia heraus.

»Wow!« Sophie lacht überrascht auf. »Da hat er Recht, oder? Aber es ist trotzdem eine Überraschung. Schließlich ist Thomas ein Ekel, seitdem wir ihn kennen.«

»Sein Vater auch. Und Papa sagt immer, der Apfel fällt nicht weit vom Stamm.« Mia nascht noch ein Schokoladenei und gibt Stella ein weiteres ab. »Du, Sophie?«

»Ja?«

»Was heißt das überhaupt, der Apfel fällt nicht weit vom Stamm?«

Sophie setzt sich zu Mia aufs Sofa. »Kinder sind ihren Eltern oft sehr ähnlich. Das liegt zum einen daran, dass man als Eltern etwas von seinen Genen abgibt und zum anderen daran, dass Kinder sich alles von ihren Eltern abgucken.«

»Was sind Gene?« Mia angelt sich ein weiteres Schokoladenei.

»Weißt du noch, als ich mit Stella schwanger war?«, hakt Sophie nach. Sie stibitzt sich etwas Schokolade.

Mia nickt.

»Wenn ein neuer Mensch im Bauch seiner Mama heranwächst, dann muss ja jede Zelle, die entsteht, auch wissen, wie sie aussehen soll. Und diese Information ist sozusagen verschlüsselt im Zellkern. Und das ist ein ›Gen‹.«

»Darum habe ich blonde Haare wie meine Mama und blaue Augen wie mein Papa«, sagt Mia nachdenklich.

»Genau. Wenn ein neuer Mensch entsteht, kann er ein paar Merkmale von der Mutter und ein paar Merkmale vom Vater bekommen. Und manchmal auch vom Großvater oder der Urgroßmutter. Das kann niemand vorherbestimmen. Das entscheidet die Natur.«

»Verstehe. Und wenn ich später Kinder bekomme, dann kriegen sie entweder meine blonden Haare oder die Haarfarbe vom Vater«, sagt Mia.

Bevor Sophie antworten kann, klingelt es an der Haustür. Erschrocken flitzen Fridolin und Fritz nach draußen in den Garten und verstecken sich im Eulenhaus.

»Erwartest du Besuch?«, fragt Sophie überrascht.

»Nein. Vielleicht hat Papa seinen Schlüssel vergessen.« Mia springt auf und läuft zur Haustür.

Stella flitzt ihr hinterher.

Mia öffnet die Haustür.

Vor ihr steht Thomas. Er ist vollkommen aufgelöst und hat ein ganz verweintes Gesicht.

»Thomas!«, sagt Sophie, die ihren Töchtern in den Flur gefolgt ist. »Was ist denn mit dir passiert?«

»Mein Vater…«, fängt Thomas außer Atem an zu erzählen.

Stella ergreift seine Hand und zieht ihn ins Haus. »Spielen!«, ruft sie erfreut, doch Mia hält sie zurück. »Warte, Stella! Vielleicht möchte Thomas gar nicht spielen.«

»Das ist schon okay«, sagt Thomas und versucht zu lächeln.

»Zieh dir erst einmal die nassen Schuhe aus und dann komm herein ins Wohnzimmer«, sagt Sophie.

Thomas schlüpft aus seinen Schuhen und lässt sich dann von Stella ins Wohnzimmer ziehen. Sofort reicht sie ihm eine Puppe und einen Ball. Mias Klassenkamerad setzt sich auf den Teppich und kickt den Ball mit den Füßen der Puppe zu Stella.

»Was ist passiert?«, fragt Sophie. Sie setzt sich in einen Sessel und schaut Thomas abwartend an.

»Mein Vater hat das Wildtierverbot durchgesetzt. Jetzt darf der Zirkus im nächsten Jahr nicht mehr in die Stadt kommen.«

»Das wird Toulouse gar nicht gefallen«, rutscht es Mia

heraus.

Thomas nickt und hält nur mühsam die Tränen zurück.

Es klingelt erneut.

Dann geht ein Haustürschlüssel.

»Hans, dein Sohn ist ganz bestimmt nicht bei uns«, hören sie Mias Papa sagen.

»Aber ich habe ihn doch hierherlaufen sehen«, antwortet Hans Wietmüller.

Thomas zieht den Kopf ein und schaut sich suchend um.

»Willst du dich verstecken?«, fragt Mia leise, doch Sophie schüttelt den Kopf. »Nichts da, ihr zwei. Wenn es Probleme gibt, muss man darüber sprechen.«

»Mit meinem Vater kann man nicht reden«, sagt Thomas leise.

Mias Papa steckt seinen Kopf zur Tür herein. »Hallo Mädels, wie war euer Tag? Nanu…« Er hat Thomas entdeckt und stutzt. »Thomas, was machst du denn hier?«

»Ha! Habe ich es doch gewusst! Hier versteckst du dich!« Hans Wietmüller rast mit seinen nassen, dreckigen Schuhen an Mias Papa vorbei und besudelt den weißen Teppich im Wohnzimmer. »Du brauchst gar nicht wegzulaufen. Du hast bis an dein Lebensende Hausarrest!«

»Hans!«, sagt Sophie empört. Dabei weiß sie nicht, worüber sie sich mehr ärgern soll: Über die Matschflecken im Teppich oder über so eine unsinnige Strafe.

»Zieh dir bitte erst einmal die Schuhe aus!«, sagt Sophie schließlich. »Du machst unseren weißen Teppich ganz dreckig!«

»Ich werde nicht bleiben! Und du auch nicht, Thomas!«

Streng winkt Hans Wietmüller seinen Sohn mit nur einem Finger aus dem Raum.

Mit hängendem Kopf schlurft Thomas in den Flur.

Stella läuft mit ihm mit und hält seine Hand fest.

Verstohlen wischt sich Thomas eine Träne von der rechten Wange.

»Du brauchst gar nicht herum zu heulen, Thomas. Du bist doch kein Mädchen«, fährt Thomas Vater seinen Sohn an.

Verärgert baut sich Sophie vor ihm auf. »Hans, du warst schon immer ein wenig…«, sie sucht nach dem passenden Wort, »anders. Aber jetzt gehst du wirklich zu weit! Du kannst doch nicht alles und jeden aus deinem Leben verbannen, der dir nicht passt.«

»Und ob ich das kann«, blafft Hans Wietmüller seine ehemalige Klassenkameradin an.

»Erst verbannst du deinen Zwillingsbruder, weil er schwul ist. Dann vertreibst du den Zirkus mit deinem Wildtierverbot und nun verprellst du auch noch deinen Sohn mit einem irrwitzigen Hausarrest bis an sein Lebensende?« Sophie schnauft verächtlich. »Was ist nur mit dir los? Wer hat dein Herz so in Ketten gelegt? Du bist ja gefühlskälter als der ›eiserne Heinrich‹.«

»Oh, das Märchen kenne ich«, sagt Mia erfreut. »Das ist vom ›Froschkönig‹.«

Sophie nickt. »Ja, genau. Wer hat dir eiserne Bande um dein Herz gelegt, dass du so kaltherzig geworden bist, Hans? Wenn du so weiter machst, wirst du als einsamer Greis sterben. Niemand wird dann mit dir etwas zu tun haben wollen. Nicht einmal dein Sohn!«

Hans Wietmüller schnauft verächtlich. »Sophie, was redest du da für einen Blödsinn? Man muss seine Kinder erziehen. Kinder brauchen eine strenge Hand.«

»Nein, Hans, das brauchen sie nicht. Sie brauchen in erster Linie Liebe. Und in zweiter Linie konsequente Regeln. Das heißt aber nicht, dass man sie einsperren muss wie einen Verbrecher oder wie einen Sklaven«, entgegnet Sophie.

Thomas Vater wirft den Kopf zurück und lacht schallend. »Du hattest schon immer einen Hang zur Theatralik, meine liebe Sophie. Darum warst du auch das interessanteste Mädchen an der Schule.«

Mias Papa wackelt nervös mit den Augenbrauen. »Dann haben wir doch des Rätsels Lösung gefunden.«

Thomas' Vater wirbelt herum. »Was soll das heißen, Tom?«

Mias Papa zuckt mit den Schultern. »Du warst in Sophie verliebt. Aber sie wollte dich nicht. Darum rennst du herum wie der ›eiserne Heinrich‹ und quälst alle Menschen in deiner Umgebung.«

Wütend verzieht Hans Wietmüller das Gesicht. »Ich quäle niemanden.« Er wendet sich um. Dann schubst er Thomas zu seinen Schuhen. »Los! Zieh deine Schuhe an! Wir gehen.«

Mit schreckgeweiteten Augen blickt Mia ihrem Klassenkameraden hinterher. »Armer Thomas!«, sagt sie leise, bevor sie die Tür hinter den beiden schließt.

***

»So eine Beerdigung ist merkwürdig«, sagt Emma nachdenklich. Seufzend lässt sie sich auf ihrem Stuhl im Klassenzimmer nieder.

»Ja, das finde ich auch. Alle sind so traurig, dass man mitweinen muss«, pflichtet Amelie ihr bei.

»Ich fand es am schlimmsten, als die Männer die Erde auf den Sarg geschaufelt haben«, sagt Mia.

»Ich fand es traurig, als wir die bemalten Steine auf das Grab gelegt haben. Ich dachte, gleich platzt Herr Cordes vor lauter Traurigkeit«, sagt Linda.

»Ja, er war sehr, sehr traurig«, gesteht Emma. »Ich kenne das Gefühl. Als meine Mutter starb, dachte ich, ich müsste zu ihr ins Grab springen, so sehr hat mir der Troll auf die Brust gedrückt.«

Mitfühlend streichelt Mia ihren Arm. »Ich war auch sehr traurig, als meine Mutter uns verlassen hat. Ich kann dich gut verstehen.«

Emma schüttelt den Kopf. »Nein, das kannst du nicht.«

»Nicht?« Verwirrt schaut Mia ihre Freundin an.

»Du kannst deine Mama jederzeit wiedersehen, sie ist nur weggegangen, nicht gestorben«, entgegnet Emma.

»Ich finde, das ist noch schlimmer«, mischt sich Amelie ein.

»Echt? Warum?«, platzt Emma unwirsch heraus.

»Mias Mama hat sich freiwillig entschieden, ihr Kind im Stich zu lassen. Deine Mama konnte nichts dafür. Sie ist gestorben, weil sie krank war«, sagt Amelie bedrückt.

»Genau«, meint Linda und beißt einen überstehenden Fingernagel ab, »du weißt, dass dich deine Mama geliebt hat, bevor sie gestorben ist. Sie wäre geblieben. Aber Mia kann davon ausgehen, dass ihre Mama sie nicht liebt. Sie ist seit über drei Jahren weg und hat sich nur zweimal mit einer Postkarte gemeldet.«

Als hätte Mia einen Schlag ins Gesicht bekommen, weicht sie erschrocken zurück. Sie atmet ganz schnell und bekommt augenblicklich rote Wangen. »Natürlich liebt mich meine Mutter.«

»Ach ja?«, sagt Linda und verschränkt die Arme vor der Brust. »Und warum ist sie dann seit Jahren verschwunden und hat dich kein einziges Mal besucht?«

»Mein Papa sagt, sie hat ein schlechtes Gewissen«, verteidigt Mia ihre Mutter. Sie spürt, wie ihr die Tränen kommen. Sie will noch etwas antworten, aber ihr Kopf ist wie leer gefegt.

Linda hat Recht.

Ihre Mama ist vor vielen Jahren weggegangen und lässt nichts von sich hören. Sie schreibt nicht, sie ruft nicht an und besucht hat sie Mia auch noch nicht.

Papa sagt, sie führt nun ein anderes Leben und sie war nicht dazu geboren, eine Mutter zu sein. Mia findet das komisch. Aber Papa meint, es gibt nicht nur Männer, die ihre Familie zurücklassen, sondern manchmal eben auch Frauen. Und je länger man sich nicht bei jemandem meldet, um so schwieriger wird es, sich aufzuraffen, um so größer ist das schlechte Gewissen.

Erschöpft lässt sich Mia auf ihren Stuhl fallen.

Linda eilt zu ihr hin und legt ihr einen Arm um die Schultern. »Entschuldige, Mia, das war nicht so gemeint.«

Mia zuckt mit den Schultern. »Du - hast - ja - Recht!«, stammelt sie schließlich. »Meine Mutter will mich nicht haben.«

Emma packt sie an der Schulter und zwingt sie, sie anzusehen. »Mia, es gibt Menschen, die sind nicht dafür gemacht, Eltern zu sein. Ich wette, deine Mutter wollte keine Mutter sein.«

»Das hätte sie sich aber früher überlegen können, oder?«, mischt sich Thomas ein, der soeben das Klassenzimmer betritt.

»Du brauchst gar nicht erst wieder fies zu werden«, warnt ihn Emma mit einem bitterbösen Blick. »Wir haben ein ernstes Thema.«

»Keine Sorge, das hatte ich nicht vor. Mias Mutter ist ganz schön egoistisch. Wenn man keine Mutter sein will, soll man sich das überlegen, bevor man ein Kind in die Welt setzt«, sagt Thomas mit ernster Miene. »Alles andere ist furchtbar gemein.«

»Dein Vater ist auch gemein«, sagt Mia und fühlt sich fast verbündet mit Thomas.

Thomas nickt. »Ja. Und ich wünschte, er würde gehen und nie wiederkommen. Oder besser gleich noch sekundär ertrinken.«

Das sind harte Worte, denken alle.

»Wird Frau Müller jetzt eigentlich unsere neue Klassenlehrerin?«, wechselt Linda das Thema.

Lennard schüttelt den Kopf. »Nein, ich habe gehört, dass Frau Müller gesagt hat, sie kann uns nicht übernehmen. Die bekommt schon in fünf Monaten ein Baby.«

»Frau Müller ist schwanger?«, platzt Emma überrascht heraus.

Es klingelt zur Stunde.

Toulouse schlüpft auf leisen Sohlen ins Klassenzimmer. »Hallo!«, sagt sie grinsend. »Habe ich was verpasst?«

»Ja, immerhin warst du etwas länger weg als zwei Wochen. Frau Cordes ist gestorben und Frau Müller ist schwanger«, sagt Lennard trocken.

Er ist gar nicht begeistert davon, dass das Zirkusmädchen wieder zurück ist, denn nun muss er seinen Freund wieder mit ihr teilen.

Thomas lächelt und ergreift die Hand, die Toulouse ihm hinstreckt. »Schön, dass du wieder da bist«, sagt er leise.

»Ich freue mich auch«, erwidert Toulouse.

»Und ich freue mich erst, euch alle wieder zu sehen«, ertönt eine männliche Stimme, die einigen Schülern verdammt bekannt vorkommt.

»Herr Knabe!«, ruft Mia erstaunt. Eilig wischt sie sich die Wangen trocken. »Was machen Sie denn hier?«

Herr Knabe wirft seine alte Ledertasche auf das Pult und schreibt mit der Kreide seinen Namen an die Tafel. »Ich darf euch herzlich begrüßen. Ich bin Kevin Knabe, für diejenigen von euch, die mich noch nicht kennen.« Er schaut sich im Klassenzimmer um. »Das sind ja zum

Glück nicht so viele Schüler.«

»Haben Sie etwa die Schule gewechselt?«, fragt Lennard verwundert.

Herr Knabe nickt. »Ja. Es hat lange gedauert, aber nun hat die Schulbehörde endlich zugestimmt. Ich bin euer neuer Klassenlehrer.«

Thomas rümpft die Nase. »Haben Sie überhaupt eine Zulassung fürs Gymnasium?«

»Thomas, Thomas! Noch immer der Alte, wie ich sehe. Manche Dinge ändern sich wohl nie, was? Ja, danke, Thomas, ich habe tatsächlich eine Zulassung als Gymnasiallehrer«, sagt Herr Knabe. »Aber die hier«, er hält seine alte, graue Trillerpfeife in die Höhe, »brauche ich bei euch sicherlich nicht. Ihr seid ja schon groß und sehr vernünftig.«

»Dann kommt Frau Müller also tatsächlich nicht wieder?«, fragt Emma.

»Nein.« Herr Knabe schüttelt den Kopf. »Sie ist krankgeschrieben und geht dann in den Mutterschutz, wenn das Baby kommt.« Herr Knabe blickt sich um und geht dann zu Michael. »Schön, dass es dir wieder gut geht und nur ein Mensch zu Schaden gekommen ist.«

Michael nickt. »Die Ärzte haben meine Eltern gelobt,

weil sie mich so frühzeitig in die Klinik gebracht haben.«

»Einen ›Schaden‹ nennen sie es, wenn jemand ertrinkt?«, platzt Hannes heraus.

Herr Knabe setzt sich auf das Pult. »Nun, ich war mir nicht ganz sicher, wie ich das ausdrücken soll. Krank war Frau Cordes ja nicht, eher verletzt. Aber das hat niemand erkannt. Denn wenn das jemand erkannt hätte, würde sie euch heute unterrichten und nicht ich.«

»Manchmal ist das Leben ganz schön gefährlich«, sagt Emma in ihrer typischen, trockenen Art.

Herr Knabe nickt. »Da gebe ich dir Recht. Und damit es bei uns im Klassenzimmer nicht gefährlich wird und ich eure Namen schneller lerne, bitte ich euch, ein Namensschild zu basteln und es vor euch hinzustellen.«

Superparty mit Überraschungsgast

»Endlich mal wieder ein Zwillingsgeburtstag«, freut sich Mia, als sie Amelie und Nils ein Geschenk überreicht.

Amelie nimmt es lachend entgegen. »Du hast wohl schon unsere Superpartys vermisst, was?«

»Ja, das habe ich. Die letzten Wochen waren traurig genug. Nun möchte ich wieder fröhlich sein und Spaß haben«, sagt Mia, während sie sich die Schuhe auszieht.

»Ihr seid auch viel zu jung, um nur traurig zu sein«, sagt Celia Sanders, die leibliche Mutter der Zwillinge.

Sabine Sanders legt ihrer Frau einen Arm um die Schultern. »Das sehe ich auch so. Frau Cordes würde es bestimmt nicht gefallen, wenn ihr ihretwegen so viel Trübsal blast. Ich bin sicher, es geht ihr gut.«

Mia stutzt. »Wie kann es ihr gut gehen? Sie lebt doch nicht mehr.«

Sabine führt Mia ins Wohnzimmer, wo bereits andere Gäste sitzen. »Weißt du, Mia, ich glaube an die Wiedergeburt.«

»Was bedeutet das?«, hakt Mia nach. Sie hat keinen blassen Schimmer, was eine Wiedergeburt sein soll.

Kommt Frau Cordes dann ein zweites Mal auf die Welt?

Als Lehrerin?

Und hat sie dann denselben Ehemann?

Oder wird man in einem völlig fremden Körper wiedergeboren?

»Viele Menschen glauben an Wiedergeburt. Sie sagen, wenn jemand stirbt, dann verlässt seine Seele den Körper und reist einfach weiter ins nächste Leben«, kommt Emma Amelies Mutter zuvor.

»Genau, Emma. Hast du dich etwa schon mit dem Thema beschäftigt?«

Emma nickt. »Als meine Mutter starb, habe ich ein Schloss gebastelt. In dem Schloss war eine Glaskugel und darunter klebte ein Foto von meiner Mutter. Immer, wenn ich in die Glaskugel geschaut habe, dann habe ich meine Mutter gesehen. Mein Papa und ich haben uns ausgemalt, in welchem Körper sie wohl nun gerutscht ist und wo sie jetzt lebt.«

»Du glaubst, dass deine Mutter irgendwo in einem anderen Körper lebt?« Mia bläst die Backen auf. »Das klingt fast ein wenig gruselig, oder?«

Emma schüttelt den Kopf. »Nein, finde ich nicht. Mir gefällt der Gedanke, dass es meiner Mutter gut geht und sie ein neues Leben hat.«

Es klingelt und kurz darauf bringt Nils Thomas ins Wohnzimmer.

»Hallo!«, begrüßt Jakob Wietmüller, der leibliche Vater der Zwillinge, seinen Neffen. »Schön, dich zu sehen.«

Thomas lächelt zaghaft.

Dann erblickt er Toulouse.

Toulouse hebt eine Hand und winkt ihm zu.

»Wenn alle vollzählig sind, dann können wir uns ja mit den Crêpes stärken und anschließend mit dem ersten Spiel beginnen«, ruft Sabine Sanders. Sie gibt ihrer Frau ein Zeichen, die sofort den Crêpesmaker anwirft und herrlich duftende Crêpes mit Zimt und Zucker oder Schokolade zaubert.

Nach einer halben Stunde sind alle Gäste satt und zufrieden. Celia Sanders klatscht in die Hände. »Hört mal alle her. Wir bilden nun zwei Teams. Die Jungs gegen die Mädchen. Wir spielen Pantomime.«

Während die Mädchen jubeln, stöhnen die Jungs auf. Doch niemand lässt sich nicht beirren.

Amelie stellt zwei Losboxen auf den Tisch und verteilt die Teams im Raum. »Ich ziehe als erste einen Begriff. Den muss ich mit Händen und Füßen erklären und darf dabei nicht reden. Mein Team, also die Mädchen, müssen erraten, was ich für einen Begriff darstellen will«, erklärt sie die Spielregeln.

»Wenn das falsche Team die Antwort gibt, ist das ein Punkt für den Gegner«, fügt Nils hinzu.

Amelie zieht einen Zettel, faltet ihn auf und nickt. Dann stellt sie sich auf ein Bein und hält ihre Arme zusammen. Mit den Händen klappert sie herum.

»Ich weiß, was das ist«, ruft Hannes, doch Thomas hält ihn zurück. »Sei still! Du darfst das nicht erraten! Die Mädchen sind dran. Sonst bekommen die einen Punkt.«

»Frosch«, ruft Linda.

»Seit wann klappern Frösche?«, lacht Thomas.

Linda verdreht die Augen.

»Storch«, sagt Toulouse.

»Richtig«, ruft Amelie erfreut. »Nun bist du dran, Toulouse.«

Toulouse nimmt sich einen Zettel und liest ihn. Dann strafft sie ihre Schultern und geht problemlos in den Handstand. Geschickt, ohne jemanden anzurempeln, geht sie auf Händen durchs Wohnzimmer.

»Bravo!«, ruft Jakob begeistert.

»Hä? Was soll das sein?«, ruft Emma perplex.

»Handstandlauf?«, rätselt Mia.

Toulouse stoppt und stellt sich wieder auf die Beine. Sie zeigt auf ihre Hand. Dann macht sie wieder einen Handstand und wandert im Zimmer umher.

»Handlauf?«, ruft Emma.

Erfreut kommt Toulouse wieder auf die Beine. »Richtig.«

»Was ist ein Handlauf?«, fragt Mia.

»Das ist eine Stange über der Treppe, an der man sich festhalten kann«, weiß Nils.

Nun sind die Jungs dran, doch plötzlich klingelt es an der Haustür.

»Erwarten wir noch Gäste?«, fragt Celia Sanders überrascht.

Nils und Amelie schütteln den Kopf.

Ihre Mutter geht hinaus und kommt gleich darauf mit einem verärgerten Hans Wietmüller wieder. »Thomas! Ich hatte dir verboten, das Haus zu verlassen. Was fällt dir ein, mich so zu hintergehen? Du hast Hausarrest.«

Jakob springt auf. »Hans, schön, dass du zum Geburtstag deiner Nichte und deines Neffen gekommen bist. Zieh dich aus und setz dich doch zu uns! Möchtest du einen Kaffee haben? Wir haben auch Crêpes und Torte da.«

Verärgert schüttelt Thomas Vater seinen Zwillingsbruder ab. »Jakob, lass mich! Ich bin nicht zum Gratulieren gekommen. Ich begrüße eure Familienform nicht. Regenbogenfamilie! Das ist totaler Schwachsinn!«

»Müssen wir das wirklich immer und immer wieder durchkauen?«, fragt Jakob Wietmüller traurig. »Hast du dich noch immer nicht daran gewöhnt, dass ein Teil deiner Familie anders ist?«

»»Anders« ist eine nette Umschreibung für »homosexuell«, Jakob. Und nein, ich werde mich nie daran gewöhnen, dass mein einziger Bruder, noch dazu mein Zwillingsbruder, schwul ist und Kinder mit einem lesbischen Pärchen hat«, knurrt Thomas Vater wütend.

»Dein Sohn war zum Geburtstag unserer Kinder eingeladen«, sagt Celia Sanders. »Und es wäre schön, wenn du diesen Geburtstag nicht verdirbst. Die Kinder haben sich sehr darauf gefreut.«

»Thomas hat Hausarrest«, beharrt Hans Wietmüller. Mit versteinerter Maske steht er im Wohnzimmer.

»›Lebenslang‹ hast du vergessen«, ergänzt sein Bruder Jakob. »Das haben wir schon als Kinder gehasst, wenn Vater uns Hausarrest verpasst hat. Erinnerst du dich? Und nun sperrst du deinen Sohn selber ein? Liebst du ihn denn gar nicht?«

»Doch. Genau darum sperre ich ihn ja ein«, erwidert Thomas' Vater.

Jakob zieht die Augenbrauen hoch. »Nur nochmal für mich zum Mitschreiben: Du sperrst deinen Sohn ein, weil du ihn liebst? Ist das nicht eine merkwürdige Art, seine Liebe zu zeigen?«

Hans Wietmüller gerät ins Stocken. »Thomas muss lernen, dass man nicht alles machen darf.«

»Und das lernt man am besten, wenn man weggesperrt wird?« Jakob schüttelt den Kopf. »Komm Hans, gib deinem Herzen einen Ruck! Lass die Kinder Geburtstag feiern!«

»Feiern wird überbewertet«, murmelt Hans Wietmüller.

Jakob legt ihm eine Hand auf die Schulter. »Wann hast du aufgehört, das Leben zu genießen? Dein Sohn ist doch ein vernünftiger Junge. Gönn ihm etwas Spaß! Sonst stehst du eines Tages alleine da.«

»Fang du nicht auch noch damit an, dass ich als einsamer Greis sterbe«, sagt Thomas' Vater brummend.

»Dann tu was, damit es nicht so kommt«, sagt Jakob.

»Und lass die Kinder weiterspielen!«

Zur Überraschung aller nickt Thomas' Vater. Er lässt sich den Mantel abnehmen und einen Kaffee reichen.

Unsicher spielen die Kinder weiter.

»Was haltet ihr davon, wenn ihr das Spiel oben im Kinderzimmer weiterführt?«, fragt Sabine Sanders.

Die Kinder jubeln und flitzen in Windeseile ein Stockwerk höher.

***

»Hallo Mia, schön, dass ihr kommen konntet«, begrüßt der Falkner, Herr König, Mia und ihren Papa.

»Wie geht es unserem Fritz?«, fragt Mias Papa.

Herr König deutet auf die riesige Voliere, in der die verletzten Eulen aufgepäppelt werden.

Fritz sitzt in der Ecke und rührt sich nicht.

»Der kleine Uhu hat die Woche über kaum etwas gegessen. Wir konnten ein paar Flugübungen machen, aber zum Jagen lässt er sich nicht bewegen. Er spielt mit den Küken, statt sie zu essen«, entgegnet Herr König.

»Vielleicht ist er Vegetarier?«, sagt Mia grinsend.

Herr König lächelt, dann wird er wieder ernst. »Schön wär's, was? Aber da muss ich dich enttäuschen. Fritz ist ein kleiner Fleischfresser, aber alles muss für ihn zurechtgeschnitten werden.«

»Dann können wir ihn nicht auswildern?«, will Mias Papa

wissen.

Herr König seufzt. »Möglich ist alles, aber ich bezweifle, dass er draußen in der Natur alleine zurechtkommen würde.«

Mia geht zum Käfig. »Fritz! Fritz!«

Der Uhu blickt zu Mia.

Dann hüpft er auf sie zu.

Herr König öffnet die Voliere und lässt Fritz herauskommen. Mia hockt sich auf den Boden und breitet die Arme aus. Fritz fliegt ihr gegen die Brust und drückt sich fest an sie. Hoch erfreut schlingt Mia ihre Arme um den kleinen Uhu. »Du bist ja richtig groß geworden, Fritz«, sagt sie leise lachend.

Der Uhu gurgelt überglücklich.

»Die Liebe ist so groß, dass Fritz hundertpro nicht mehr zurück in den Wald will«, bemerkt Herr König.

Mias Papa verdreht die Augen. »Ich hatte für den kleinen Kerl gehofft, dass er es schafft.«

»Das hoffen wir bei jedem Tier, dass mit wenigen Wochen verletzt bei uns abgegeben wird. Aber nicht alle schaffen es. Darum haben wir auch so viele Tiere hier.«

»Versuchen Sie die Auswilderung trotzdem?«, fragt Mias Papa nach.

Herr König nickt. »Meistens schon. Wir öffnen den Käfig und lassen die Tiere selbst entscheiden. Die meisten versuchen auch ein paar Flugrunden. Aber dann kommen sie zurück.«

»Dann nehmen wir den kleinen Fritz also wieder mit nach Hause«, stöhnt Mias Papa.

Mia nickt. »Ja, bitte, Papa. Er gehört doch jetzt zur Familie.«

Wie zur Bestätigung knabbert der Uhu vorsichtig an ihrem Ohrläppchen und fiept leise.

»Das glaube ich auch. Und wenn ihr Fragen oder Probleme habt, könnt ihr jederzeit zu mir kommen«, bietet der Falkner an.

»Vielen Dank, Herr König«, sagen Mia und ihr Papa gleichzeitig. Sie verabschieden sich und fahren mit Fritz wieder nach Hause.

Kaum erreichen sie das Eulenhaus, flitzt auch schon Fridolin aus seiner Höhle und stupst Fritz den kleinen roten Ball zu. Fritz flattert von Mias Schulter und stupst den Ball zurück.

»Na, da haben sich ja zwei gesucht und gefunden«, sagt Mias Papa. Lachend legt er einen Arm um Mias Schultern. »Aber wir werden auch noch den kleinen Fresssack satt kriegen.«

»Danke, Papa.« Überglücklich beobachtet Mia die beiden Spielenden, dann geht sie mit ihrem Papa ins Haus.

Ostereier im Zirkuszelt

»Ich habe noch nie Ostereier im Zirkus gesucht«, sagt Emma lachend.

»Ich auch nicht.« Strahlend nimmt Mia Emmas Hand und springt mit ihr über die Wiese.

»Wo bleibt Thomas nur?«, fragt Amelie kopfschüttelnd. »Er sollte doch schon längst hier sein.«

»Thomas hat doch noch Hausarrest, oder?«, fragt Emma.

»Ich glaube, Onkel Hans hat den Arrest aufgehoben, nachdem unser Vater lange mit ihm geredet hat«, sagt Nils.

»Ich finde Hausarrest blöd. Thomas hat doch nichts verbrochen«, sagt Amelie.

»Da ist Toulouse!«, ruft Mia und zeigt grinsend auf die kleine Artistin. »Hallo Toulouse!«

»Hallo! Schön, dass ihr gekommen seid. Habt ihr Thomas gar nicht mitgebracht?« Verwundert schaut sich Toulouse um. Sie sieht wirklich bezaubernd aus heute. Sie trägt ihre langen, braunen Haare offen und hat nur an den Seiten jeweils einen kleinen geflochtenen Zopf, der hinten mit einer Schmetterlingshaarspange gehalten wird. Zu ihrer Jeans trägt sie ein glitzerndes Shirt.

»Schade, dass du den Sommer über nicht in Bärenklau bist«, sagt Mia und ergreift die Hände ihrer Freundin.

Toulouse lacht leise. »Das stimmt. Aber wenn du wüsstest, wie schön das Leben im Zirkus ist, würdest du glatt mitfahren.«

»Ich würde auch gerne mitfahren«, sagt Thomas außer Atem.

Erstaunt dreht sich die kleine Gruppe um.

»Thomas, da bist du ja! Wo kommst du denn her? Hat dich dein Vater hergebracht?«, ruft Nils.

Thomas schüttelt den Kopf und sieht sich fast ein wenig ängstlich um. »Ich bin mit dem Bus gekommen.«

Nils verdreht die Augen. »Sag bloß, du bist heimlich hier? Dann kann Onkel Hans ja jeden Moment hier auftauchen und unser Osterfest sprengen!«

Thomas schüttelt erneut den Kopf. Beruhigend legt er eine Hand auf Nils' Schulter. »Meine Mutter hat mir geholfen. Sie hat mir ein Busticket gekauft und meinen Vater zu einem Ausflug nach Berlin überredet. Sie findet es in Ordnung, wenn ich in den Zirkus gehe.«

»Gott sei Dank! Ich habe schon befürchtet, Onkel Hans zerrt dich gleich aus dem Versteck des Osterhasen«, witzelt Amelie.

»Nein, nein, keine Sorge! Wo hat denn der Osterhase seine Eier versteckt?«, fragt Thomas grinsend. Er nimmt Toulouse Hand und gibt ihr einen Handkuss. »Hallo!«, sagt er schüchtern.

Toulouse zwinkert ihm zu. »Hallo! Schön, dass du da bist!« Sie winkt die Kinder mit sich. »Kommt! Die anderen Kinder sind schon im Zelt. Mein Vater wird gleich ein paar Worte sagen und dann geht die Suche los.«

Sie folgen Toulouse in das große Zirkuszelt und setzen sich brav zu den Zirkuskindern.

In der Mitte der Manege stehen ein Clown, die Zirkusdirektorin und der Löwendompteur.

»Wer ist denn dein Papa?«, fragt Mia Toulouse leise. »Der Clown oder der Löwendompteur?«

Toulouse lächelt breit und zeigt auf Martin Smith, der seine Frau Tessa liebevoll umarmt. »Mein Papa ist Löwendompteur und meine Mutter ist die Zirkusdirektorin.«

»Das sieht man. Du siehst deiner Mutter sehr ähnlich«, sagt Amelie.

»Cool, ich hätte auch gerne einen netten Vater, der Löwen dressiert«, Thomas Augen leuchten noch mehr, als sie es bei Toulouse Anblick ohnehin schon tun.

»Ja, das ist wirklich toll«, gesteht Toulouse. »Es ist wunderschön, in einem Zirkus aufzuwachsen. Wir sind eine riesengroße Familie. Es gibt immer etwas zu tun, immer etwas zu entdecken. Wir sind nie einsam hier.«

»Ich wünschte, ich könnte auch in einem Zirkus leben«, sagt Thomas nachdenklich.

»Echt?« Erstaunt betrachtet Nils seinen Cousin von der Seite. »Ich möchte nicht in einem Wohnwagen leben.«

»Doch«, sagt Thomas schwärmerisch, »das ist pures Abenteuer.«

»Du siehst nicht so aus, als könntest du dich in einem Wohnwagen wohlfühlen«, sagt Emma leise kichernd.

Thomas zieht die linke Augenbraue hoch. »Warum nicht? Weil mein Vater ein eingebildeter Schnösel ist?«

»Was ist denn ein Schnösel?«, fragt Mia mit großen Augen.

»Ein Mensch, der sich für etwas Besseres hält«, erklärt Emma, bevor Thomas antworten kann.

Thomas nickt. »Ja. Und das Leben mit ihm ist alles andere als einfach.«

»Das glaube ich dir sofort«, kontert Emma. »Dein Vater hält doch alle für Sklaven, oder? Und wenn du nicht das machst, was er will, dann wirst du entweder eingesperrt oder angemeckert. Du bist wirklich nicht zu beneiden.«

Aus dieser Perspektive hat Mia ihren langjährigen Klassenkameraden noch nie betrachtet.

Bisher hat sie immer gedacht, Thomas sei ein arroganter Idiot, der sich nur um sich selbst sorgt und liebend gerne auf allen anderen herumtrampelt. Aber dass er eigentlich ein Opfer der Laune seines Vaters und darum so fies zu allen ist, ist Mia vorher nie bewusst gewesen.

»Mein Vater ist halt besonders schwierig«, gesteht Thomas zähneknirschend.

Toulouse streichelt mitfühlend seinen Arm. »Vielleicht erlaubt dein Vater ja, dass du in den Sommerferien mit uns herumreist?«

Thomas lacht höhnisch auf. »Niemals! Eher sperrt er mich die nächsten zwanzig Jahre im Keller ein, als mich zum Zirkus zu lassen.«

Toulouse klammert sich an seinen Arm. »Das werde ich nicht zulassen.«

Thomas lächelt seine Freundin an. »Du bist so lieb! Danke! Aber ich befürchte, meinen Vater kann niemand erweichen.«

»Vielleicht probieren wir es alle zusammen«, schlägt Mia vor, die Mitleid mit ihm hat.

Thomas lächelt nun Mia an. »Danke, Mia. Du bist so nett

zu mir, obwohl ich die letzten viereinhalb Jahre ein echter Blödmann war.«

»Jeder verdient eine zweite Chance, sagt meine Oma immer«, sagt Mia und zwinkert ihm zu.

»Liebe Kinder«, meldet sich Martin Smith zu Wort, »ich freue mich, dass ihr euch alle hier versammelt habt und wir sogar noch ein paar Besucherkinder haben. Ihr werdet euch hoffentlich fleißig beim Suchen der Osternester beteiligen.«

Der Clown klatscht begeistert in die Hände. »Aber alles, was ihr findet, Kinder, bekomme ich.« Er zeigt mit seinem weißen Handschuh auf seine Brust. »Meine Schuhe sind nämlich verdammt hungrig.« Er hebt einen Fuß hoch und lässt die Sohle so schlappern, dass der Schuh aussieht, als würde er etwas essen.

Die Kinder lachen laut auf.

Einige klatschen Beifall.

Martin Smith grinst. »Der Osterhase war sehr fleißig, als er heute Morgen den Zirkus besucht hat. Aber, das hat er mir verraten, er hat keine Eier in den Tiergehegen versteckt.«

»Dann sollen wir also nicht bei den Löwen suchen?«, ruft ein Junge keck.

Mia erkennt ihn sofort. Er hat mit seiner Familie eine Akrobatiknummer aufgeführt auf einem riesigen Auto, dass in der Mitte vom Zelt aufgehängt war und sich um sich selbst drehen konnte.

Der Clown verdreht die Augen, strauchelt und fällt in Ohnmacht. Auf dem Boden der Manege schlägt er sich gegen die Stirn. »Bei den Löwen! Die Kinder sind ja noch verrückter als ich.«

Wieder lachen einige Kinder.

»Ihr dürft hier im Zelt suchen und vielleicht noch bei den Pferden«, wirft Martin Smith wage in den Raum.

Die Kinder raunen erstaunt.

Der Clown springt auf die Beine, verheddert sich in seiner viel zu weiten Hose und landet prompt wieder im Sand.

Er stützt sich auf dem Ellenbogen auf und starrt Löcher in die Luft. »Vielleicht ist ja auch ein Ei beim Nashorn?«

Martin Smith macht ein erschrockenes Gesicht. »Beppo! Hast du etwa umgeräumt?«

Der Clown blickt ängstlich zum Zirkusdirektor, dann springt er auf und läuft kreischend davon.

Die Kinder lachen herzhaft.

Tessa Smith-Diadem, die Zirkusdirektorin und Mutter von Toulouse, klatscht in die Hände. »So, Kinder, und nun lauft und sammelt alles ein, was man vernaschen kann.«

Das lassen sich die Kinder nicht zweimal sagen.

Sie flitzen los und suchen das ganze Zelt ab.

Bereits nach einer Minute ist das erste bunte Schokoladennest zwischen den Logen von einem der Zirkuskinder entdeckt worden.

»Ich habe auch eins gefunden«, ruft Thomas und zieht ein Osternest aus dem Bühnenkasten.

»Ich auch«, lacht Bruno vom Zirkus und deutet auf die Scheinwerferboxen.

»Wollen wir bei den Pferden nachsehen?«, wendet sich die pferdeverrückte Emma an Mia.

Mia nickt.

Gemeinsam verlassen sie das Zelt und laufen zu den Pferden hinüber. Der Clown hat sich bereits dort versteckt. Aber natürlich so, dass man ihn gar nicht übersehen kann.

»Wir sehen dich, Beppo«, ruft Emma ausgelassen und Mia kichert.

Der Clown richtet sich auf und kratzt sich am weißen Kinn. »Wie habt ihr mich gefunden?«

Emma grunzt. »Das muss an der roten Nase liegen. Die leuchtet über den ganzen Zirkusplatz.«

Der Clown lacht leise, ist selbst überrascht über die Schlagfertigkeit von Emma. Dann zeigt er mit einem Finger auf die Mädchen. »Eins zu null für dich, kleine Pippi.«

Emma zeigt auf sich. »I-i-i-ich?«

Der Clown nickt. »Na klar, wer sieht denn hier sonst noch aus wie das stärkste Mädchen der Welt?«

Emma grinst bis über beide Ohren. »Pippi ist toll. Sie lässt sich nichts gefallen und ist immer stark.«

Fast ein wenig ernst schaut Beppo zu Emma. »Das stimmt, mein Mädchen. Musst du denn stark sein?«

Emma nickt. »Ja, genau wie Pippi habe ich keine Mama mehr.«

»Verstehe! Das tut mir leid.« Nachdenklich streicht sich der Clown über die rote Nase.

»Das muss es nicht. Ich bin doch Pippi«, sagt Emma lächelnd.

»Komm, Emma, wir suchen weiter nach den Osternestern«, sagt Mia und zieht Emma mit sich.

Emma winkt dem Clown noch zu und verschwindet in der ersten Pferdebox.

In der sechsten Box werden sie tatsächlich fündig.

»Juchhu, wir haben eins gefunden«, ruft Emma begeistert. Auch Mia strahlt über das ganze Gesicht. »Das macht so viel Spaß! Jetzt müssen wir nur noch ein Osternest für mich finden.«

Emma nickt.

Vier Boxen weiter finden sie ein weiteres buntes Osternest mit ganz viel Schokolade.

»Mmh, lecker, ich liebe Schokolade«, schwärmt Mia. Da huscht der Clown um die Ecke und hält grinsend die Hand auf. »Ist die Schokolade für mich?«

Emma umklammert ihr Nest und schüttelt den Kopf. »Nein. Jeder muss sein Nest selbst finden.«

Der Clown guckt traurig zu Boden. Dann setzt er eine übergroße Brille ohne Gläser auf die Nase und tastet die Wände der Pferdeboxen ab. Schließlich geht er auf alle Viere und krabbelt über den Boden. »Aber hier hat der Osterhase kein Nest verloren.«

Emma nimmt ein Schokoladenei aus ihrem Nest und hält es dem Clown hin. »In Ordnung. Stärke dich mit meiner Schokolade und geh dann beim Nashorn suchen.«

Der Clown grinst bis über beide Ohren, nimmt die Schokolade und steckt sie mitsamt Silberpapier in den Mund.

Erschrocken schlägt sich Mia die Hände vors Gesicht. »Oh nein, das Papier kann man doch nicht mitessen!«

Der Clown prustet die Schokolade wieder aus und will sie Emma wiedergeben, doch die Mädchen laufen kreischend aus dem großen Zelt, in dem die Pferde untergebracht sind. Sie laufen zu den anderen in die Manege.

Alle Kinder haben bereits ihr Nest gefunden, bis auf Nils und Amelie.

»Zwei Nester fehlen noch? Na, dann helfen wir doch alle mit suchen«, ruft Toulouse Vater und schlägt ein Rad.

Der Clown taucht hinter Emma und Mia auf und will auch ein Rad schlagen, aber es misslingt ihm und er landet mit der Nase vorweg in den Sägespänen. »Uff!«

»Beppo, was tust du da?«, ruft Martin Smith lachend.

Beppo wackelt mit der roten Nase. »Ich suche Schokolade ohne Papier.«

»Und die findest du auf dem Fußboden?«

Der Clown wühlt in dem Gemisch aus Sand und Sägespänen herum. Dann schüttelt er den Kopf.

Theatralisch wirft er sich herum und jault.

Martin Smith geht zu ihm und hält ihm eine Hand hin. »Komm, Beppo, wir suchen gemeinsam nach einem Nest für dich!«

Die Kinder folgen den beiden neugierig und halten dabei

die Augen offen.

»Sieh mal, Amelie«, sagt Nils und deutet auf ein doppeltes Nest, das hinter einer Kiste hervorlugt.

Erfreut rennt Amelie hin und zieht das Nest hervor. »Was Süßes im Doppelpack!«

»So wie ihr«, lacht Toulouse. »Und jetzt gehen wir auf die Wiese und veranstalten ein Schokoladenpicknick.«

»Jippie!«, rufen die anderen Kinder und folgen ihr nach draußen.

Nach einer ganzen Weile kommt Beppo mit einem Hasen an der Leine.

»Beppo, was tust du da?«, will Toulouse wissen.

Der Clown deutet auf den Hasen. »Er soll die Spur vom Osterhasen aufnehmen und mich zu meiner Schokolade führen.«

»Hast du denn dein Nest noch immer nicht gefunden?«, hakt Toulouse nach.

Da kommt Toulouse Oma mit einem Lama angelaufen.

»Hallo Beppo, sieh mal, was der Osterhase beim Lama Louisa gelassen hat!« Sie holt ein kleines Osternest hinter ihrem Rücken hervor und überreicht es dem überglücklichen Clown.

Die Kinder lachen leise, als der Clown anfängt, mit dem Nest und dem Hasen auf dem Arm zu tanzen.

»Bei euch ist wirklich immer was los«, sagt Thomas überglücklich und lässt sich rücklings ins Gras fallen. »Ich möchte auch ein Teil eurer Familie sein.«

»Dann musst du Toulouse heiraten«, schlägt Nils vor.

Thomas lacht leise. »Gute Idee. Aber ich befürchte, ich

bin noch zu jung.«

»Dann wartest du eben noch ein paar Jahre und übst schon einmal heimlich für den Zirkus«, sagt Amelie grinsend.

Thomas deutet auf die Zwillinge. »Ich sehe, wir verstehen uns! Gut gebrüllt, Cousinchen.«

***

»Oh, Fritz, du siehst ja toll aus! Mia hat sich offenbar sehr gut um dich gekümmert, kleiner Uhu, was?« Herr König hält Fritz etwas Fleisch hin.

Gierig schnappt der Uhu danach und hat es innerhalb von Sekunden heruntergeschluckt. Der Uhu gurgelt leise vor sich hin und nähert sich dem Falkner.

»Du willst noch mehr von dem guten Hühnerfleisch, was?« Herr König tätschelt Fritz' Kopf. Er zieht einen dicken Lederhandschuh über und legt Fritz ein Stückchen Fleisch auf den Handschuh.

Die Einladung lässt sich Fritz nicht entgehen. Er springt auf den Handschuh und schnappt sich das Hühnerfleisch.

»Er ist wirklich sehr zutraulich, Mia«, sagt Herr König. »Aber auch wenn wir ihn vermutlich nicht mehr Auswildern können, so sollte er doch ordentlich fliegen können.« Mia betrachtet den kleinen Uhu, der ihr sehr ans Herz gewachsen ist. »Fridolin freut sich sehr, dass sein neuer Freund noch bei uns ist.«

Herr König lacht leise. »Gleich erzählst du mir noch, dass dein Pinguin und Fritz abends zusammen Karten spielen.«

»Nein«, antwortet Mia vergnügt, »aber sie spielen gemeinsam Ball.«

Herr König bläst die Backen auf. »Ehrlich?«

Mias Papa lacht beim Anblick des erstaunten Falkners. »Ja, ehrlich. Die zwei haben sich gesucht und gefunden.«

»Wenn das so ist, bringen wir ihm in ein paar Flugstunden das Fliegen bei. Aber die Auswilderung überlassen wir seinem eigenen Willen.« Herr König seufzt.

»Meinen Sie wirklich, dass er eines Tages wegfliegt?«, will Mia wissen.

»Nun«, Herr König streicht sich über den Spitzbart, »ich bezweifle, dass er euch verlassen wird.«

»Ich wäre sehr traurig«, gesteht Mia.

Herr König nickt. »Siehst du! Und Fritz wird es genauso ergehen. Darum belassen wir es vorerst bei den Flugstunden.«

»Aber müsste er nicht bald in das Alter kommen, wo er flügge wird und das Nest verlässt?«, will Mias Papa wissen.

»Ja, das ist richtig. Aber er hat nicht gelernt, alleine zu sein und sein Essen zu jagen. Und wenn wir das erzwingen würden, dann hätten wir einen sehr, sehr unglücklichen Uhu«, entgegnet der Falkner. »Ich zeige euch, was ich meine.« Er holt ein kleines Küken aus einem Stall und winkt Mia mit ihrem Vater beiseite. »Ihr versteckt euch hinter dem Käfig und verabschiedet euch von Fritz. Und ich setze das Küken in seine Nähe.«

Mia und ihr Papa winken dem Uhu zu und verschwinden hinter einem der Käfige.

Herr König setzt das Küken ins Gras und geht ein paar

Schritte zurück.

Fritz guckt Mia und ihrem Papa hinterher. Er macht Anstalten, ihnen zu folgen, als er das gelb-flauschige Küken entdeckt.

Er bleibt kurz stehen und flattert näher an das Küken heran. Als das Küken ins Gras plumpst, stupst Fritz es so lange, bis es wieder auf zwei Beinen steht. Dann sieht sich der Uhu um und fängt an, laut zu schreien.

»Siehst du, Mia«, ruft Herr König laut, »er ruft nach dir. Und er hat nicht erkannt, dass das Küken eigentlich zu seinen Beutetieren gehört.«

»Ist es schlimm, dass er keine Beute jagt?«, fragt Mia.

Ein Gefühl der Verzweiflung ergreift ihre Brust beim kläglichen Rufen des Uhus.

Herr König winkt sie herbei. »Na, kommt schon wieder her. Ich habe bewiesen, was ich euch zeigen wollte. Euren

Fritz auszuwildern wäre ein hartes Stück Arbeit und es würde ihm vielleicht sogar das Herz brechen.«

Mia flitzt um den Käfig herum und rennt auf Fritz zu. Fritz hebt die Flügel und flattert erleichtert zu Mia. Überglücklich drückt sich Fritz gegen ihre Brust.

»Hast du mich nach so kurzer Zeit etwa schon vermisst, Fritz?«, redet Mia leise mit dem Uhu.

Der gurgelt vor sich hin.

»Er würde das Küken niemals essen«, sagt Herr König, »es sei denn, ich stecke ihn noch einmal in meine Eulerei und würde darauf hoffen, dass die anderen ihm jetzt das Jagen beibringen können. Aber die Chancen stehen schlecht, denn das erste Mal hat er das Jagen auch schon nicht verstanden.«

Mia streichelt Fritz.

»Wir kommen einfach regelmäßig hierher«, sagt Mias Papa, »dann lernt Fritz zumindest richtig fliegen. Im Moment flattert er ja mehr, als dass er fliegt.«

Nachdenklich wackelt Herr König mit dem Kopf. »Ich weiß, das klingt merkwürdig, aber Tiere können sehr soziale Wesen sein und machen keinen Unterschied, ob ein Tier oder ein Mensch zur Familie gehört. Er hat euch als seine Familie anerkannt und es ist ihm egal, dass ihr keine Eulen seid.«

»Mir ist das auch egal«, sagt Mia schmunzelnd.

»Das verstehe ich gut, Mia«, stimmt Herr König ihr zu. »Ich bin auch sehr verbunden mit meinen Tieren.«

»Dann lasst das gefräßige Ding fliegen«, sagt Mias Papa seufzend.

Herr König lacht. »Sie haben sich sehr anspruchsvolle Tiere ausgesucht, was?«

»Die Tiere haben sich eher uns ausgesucht«, erwidert Mias Papa stöhnend.

»Dann fangen wir mal an mit dem Flugtraining. Alles andere wird sich mit der Zeit zeigen«, sagt Herr König.

Mia nickt und trägt ihren kleinen Uhu erleichtert zum Flugplatz des Falkners.

Anhalter

»Könnt ihr glauben, dass schon wieder ein Jahr rum ist?«, fragt Mia in die Runde.

»Ein Schuljahr meinst du«, sagt Emma und zwinkert ihrer Freundin zu.

Gemeinsam mit ihren Freunden sitzt Mia vor dem Eiscafé auf einer kleinen Mauer und lässt ihre Beine baumeln, während sie ihr erstes Ferieneis genießt.

»Jetzt kommen erst einmal die Sommerferien«, seufzt Thomas erleichtert.

»Das war ein aufregendes Schuljahr!«, wirft Emma ein.

»Stimmt. Zirkus, Klassenreise, Frau Cordes Unfall und dann taucht auch noch Herr Knabe als alter, neuer Klassenlehrer auf«, sagt Lennard.

»Ich finde Herrn Knabe richtig cool«, sagt Emma voller Begeisterung. »Deutschunterricht in der Sporthalle ist ganz nach meinem Geschmack. Das könnte er ruhig öfters machen.«

»Da hast du Recht«, stimmen die Zwillinge zu.

Die übrigen nicken lächelnd.

»Wisst ihr schon, was ihr in den Ferien macht?«, fragt Nils.

Mia zuckt mit den Schultern. »Wir bleiben in Bärenklau.

Mit Pinguinen lässt es sich schlecht verreisen. Und Fritz kann zwar mittlerweile fliegen, aber er fliegt nie weit weg. Und jagen kann er schon gar nicht. Ohne uns würde er vermutlich mit seiner Beute Ball spielen und elendig verhungern.«

»Hat dein Fridolin nicht auch schon wieder Nachwuchs bekommen?«, fragt Linda neugierig.

Mia nickt grinsend. »Du meinst, ob er mal wieder ein Ei geklaut hat? Ja. Jetzt haben wir schon vier Pinguine. Das wird langsam ganz schön teuer für meine Eltern.«

»Dein Pinguin ist aber auch wirklich ein liebevoller Papa«, sagt Amelie. »Und der kleine Finn ist zu süß!«

»Ich finde Fritz aber auch toll«, mischt sich Emma ein. »Er spielt sogar mit den kleinen Pinguinen.«

»Wie alt werden Pinguine eigentlich?«, hakt Thomas gedankenverloren nach.

»In freier Wildbahn werden Humboldtpinguine nur zehn Jahre alt. Aber in Zoos können sie auch mal weit über zwanzig Jahre alt werden«, erzählt Mia. »Und Fridolin ist jetzt sechs.«

»Wenn Tiere so viel älter werden, obwohl sie im Zirkus oder in Zoos leben, dann muss es ihnen doch gut gehen, oder?«, wirft Emma plötzlich ein. »Wie können dann Tierschützer behaupten, dass sie in der freien Natur besser aufgehoben sind, wo es wenig Nahrung, wenig Lebensraum und sogar Wilderer gibt?«

»Gute Frage«, sagt Mia schulterzuckend.

»Keine Ahnung«, meint Linda.

Genüsslich beißt sie in ihre Waffel.

»Also, Fritz, Fridolin und seine Kinder fühlen sich sehr wohl bei uns«, sagt Mia nachdenklich. »Als wir im Winter alle zuhause die Grippe hatten und ihn nicht aus dem Zoo übers Wochenende abholen konnten, da hat Fridolin wirklich versucht, mit seinen Kindern das Gehege zu verlassen. Und Fritz war total anhänglich. Hat unser Haus gar nicht mehr verlassen wollen, weil Fridolin nicht da war.«

»Oje, aber Fridolin ist nicht ausgebückst, oder?«, fragt Amelie erschrocken.

»Nein. Der Tierpfleger Karl hat dieses Mal aufgepasst. Und dann hat er ein großes Foto von mir in Fridolins Höhle angebracht«, erwidert Mia schmunzelnd.

»Und das hat geholfen?«, will Amelie wissen.

»Ja, Fridolin hat sich damit beruhigen lassen. Aber schon ein paar Tage später war er so unruhig, dass Papa ihn bereits am Donnerstag abholen musste, statt wie üblich am Freitag«, erzählt Mia lachend. Sie springt von der Mauer und zählt ihr Geld. »Ich gönne mir noch ein Eis. Kommt jemand mit?«

Thomas rutscht ebenfalls von der Mauer. »Ich brauche auch noch Nervennahrung.«

»Warum? Hast du Ärger zuhause? Ist dein Zeugnis nicht gut?«, fragt Mia beim Betreten des Eiscafés.

Thomas schluckt. »Ich habe mich echt angestrengt, aber durch die zwei Vieren in Ethik bei Frau Cordes habe ich nur eine Drei geschafft. Das wird meinem Vater nicht so gut gefallen«, antwortet Thomas.

»Es ist doch nur Ethik. Kein wichtiges Fach«, winkt Mia ab. »Sag ihm einfach, dass du leider die Sommerferien über in den Zirkus musst, damit du dein Völkerverständnis für Ethik weiter vertiefen kannst«, witzelt sie.

Thomas zieht eine Grimasse, die wohl ein Lächeln werden sollte. »Schön, wenn das so einfach wäre.«

»Wo ist Toulouse denn jetzt mit ihrer Familie?«, fragt Mia.

»Sie gastieren für ein paar Wochen in Hamburg.«

»Oh, wie schön! Die haben sogar einen Hafen dort. Ich liebe den Hafen, das Wasser und das Geschrei der Möwen«, schwärmt Mia.

Sie bestellen sich noch ein weiteres Eis und gehen dann mit ihren Eistüten wieder nach draußen.

»Hamburg ist leider nicht um die Ecke. Wirst du Toulouse trotzdem besuchen?«, will Mia wissen.

Thomas zuckt fast gleichgültig mit den Schultern. »Mir wird schon irgendetwas einfallen, um sie zu sehen.«

***

»Sieh mal, Fridolin, ich habe ganz frische Fische«, sagt Mia und wedelt mit einer Makrele vor dem Pinguinbecken herum. Fridolin trötet laut, dann springt er ins Wasser und schwimmt zu Mia.

Mia lässt sich den Fisch wegschnappen und füttert dann noch Max und Sammy, die beide schon kleine Fische essen können. Für den kleinen Finn muss Fridolin den Fisch noch etwas zerbeißen.

Auch Fritz fordert Essen ein und so füttert Mia ihn mit frisch geschnittenem Hühnerfleisch. Die Hühner kauft ihr Papa immer extra von Bauer Kurt.

Während sie Fritz und die Pinguine versorgt, sitzen ihre Eltern auf der Terrasse und genießen ihren Nachmittagskaffee. Stella ist gerade aufgewacht und hockt noch recht benommen auf Sophies Schoß.

»Tom?«

Mia späht zum Gartentor.

Dort steht Thomas' Vater und winkt ganz aufgeregt.

Mias Papa erhebt sich und trabt gemütlich zum Gartentor. Er schließt auf und lässt Thomas' Vater herein.

»Habt ihr Thomas gesehen?«, fragt Hans Wietmüller leicht außer Atem.

»Nein. Moment mal!« Mias Papa wendet sich von ihm ab und schlendert zum Pinguinbecken. »Mia, weißt du, wo Thomas steckt?«

Mia zuckt mit den Schultern. »Nee.«

»Ihr seid doch in letzter Zeit häufiger zusammen«, versucht es Thomas' Vater. »Hat er dir vielleicht gesagt, was er vorhat?«

Mia schluckt.

Sie ahnt, dass Thomas nach Hamburg gefahren ist, um Toulouse zu besuchen, aber sie wagt es nicht, ihn zu verraten. »Vielleicht schämt er sich, weil er eine Drei im Zeugnis hat«, mutmaßt sie.

Fridolin trötet erneut und verlangt noch mehr Fische.

Fast mechanisch füttert Mia ihre Tiere weiter, ohne hinzugucken.

»Hast du etwa schon vier Pinguine, Mia? Ist das noch legal?«, fragt Hans Wietmüller fast ein wenig erschrocken. »Und einen Uhu hast du auch?«

Mia errötet. »Das ist Fritz. Er hatte einen gebrochenen Flügel.«

Jetzt will sie ihm erst recht nicht mehr bei der Suche nach Thomas helfen. Sie kann gut verstehen, dass Thomas weggelaufen ist. Selbst wenn sein Vater freundlich gucken will, sieht er grimmig aus.

»Das ist alles in Ordnung, Hans«, beruhigt Mias Papa seinen alten Schulkameraden. »Der Zoo und die Tierschutzbehörde sind informiert. Fridolin mag eben Kinder.«

Hans Wietmüller rümpft die Nase. »Ich mag Kinder auch. Darum habe ich auch nur ein Kind. Je mehr Kinder man hat, umso weniger kann man sich um sie kümmern.«

»Thomas ist ein Einzelkind und er findet das blöd«, sagt Mia. »Er fühlt sich einsam. Und ich finde es auch viel schöner, Geschwister zu haben.«

»Um die man sich dann auch noch kümmern muss?« Hans Wietmüller schnauft verächtlich. »Nein, nein. Mir reicht ein Rotzlöffel. Seit gestern ist er verschwunden. Zwei von der Sorte würde ich nicht ertragen.«

»Ich glaube, Thomas erträgt Sie auch nicht«, rutscht es Mia heraus. Erschrocken hält sie sich die Hand vor den Mund.

Bevor Thomas' Vater wütend antworten kann, ist Mia auch schon aufgesprungen und flüchtet auf die Terrasse.

Die beiden Männer folgen ihr.

»Mia, du weißt doch etwas!«, hakt ihr Papa nach.

Mia stopft sich schnell ein Stück Kuchen in den Mund.

Es ist Kirschkuchen und Mia mag keine Kirschen.

Aber alles ist besser, als jetzt antworten zu müssen.

Also schüttelt sie nur den Kopf und kaut.

Mit großen Augen schaut sie ängstlich zu ihrem Papa hin und hofft, er würde sie in Ruhe lassen.

»Wenn du etwas weißt, musst du es mir sagen, Mia! Kinder dürfen nicht von zuhause weglaufen«, sagt Thomas' Vater mit strenger Miene.

Sophie seufzt. »Hast du schon einmal darüber nachgedacht, dass du zu streng mit deinem Sohn umgehst und er deshalb weggelaufen sein könnte?«

»Wie meinst du das, Sophie?« Thomas' Vater verschränkt die Hände vor der Brust.

»Entweder du sperrst ihn ein oder du erteilst ihm irgendwelche Verbote. Geschwister hat Thomas keine und ich glaube, er ist verdammt einsam und verängstigt«, antwortet Sophie.

»Verbote sind wichtig. Sonst kommen Kinder vom Pfad der Tugend ab«, erwidert Thomas' Vater.

Mia runzelt die Stirn und vergisst glatt, von ihrem ungeliebten Kuchen abzubeißen. »Was ist ein ›*Pfad der Tugend*‹?«

»Das bedeutet, dass man anständig ist und keine Dummheiten macht«, erklärt Hans Wietmüller.

»Thomas ist anständig. Und Dummheiten macht er schon länger nicht mehr«, sagt Mia. »Und trotzdem bestrafen Sie ihn, weil er den Zirkus liebt.«

»Zirkus!«, ruft Thomas' Vater und schlägt sich gegen die Stirn. »Das ist ja auch das Gegenteil vom Pfad der Tugend. Im Zirkus führen alle ein Lotterleben. Mein Sohn wird kein Lotterleben führen.«

Mist, denkt Mia, nun hat sie den Zirkus doch erwähnt. Eilig beißt sie erneut von ihrem Kuchen ab.

»Mia, ist Thomas vielleicht beim Zirkus?«, fragt Thomas' Vater ungewöhnlich freundlich.

Mia schüttelt den Kopf. Mit großen Augen starrt sie ihn an und hofft, er würde nicht weiter nachfragen.

Thomas' Vater richtet sich wieder auf. »Nun gut, ich sehe, du willst nicht antworten. Lieber isst du einen Kuchen, der dir nicht schmeckt.«

»Hans!«, sagt Sophie und schnalzt empört mit der Zunge.

»Mia mag den Kuchen nicht. Es ist ihr deutlich anzusehen. Aber damit sie mir nicht antworten muss, isst sie ihn«, verteidigt sich Hans Wietmüller. »Ich muss ein ganz schönes Ekel sein, was?«

Mia nickt ohne nachzudenken.

Erschrocken atmet Sophie ein und hält sich dann schmunzelnd die Hand vor den Mund.

Hans Wietmüller starrt in die Ferne. »Dann suche ich mal besser alle Zirkusse in der Gegend ab. Schönen Tag noch!« Er winkt und ist auch schon wieder verschwunden.

»Mia, weißt du wirklich nichts?«, fragt Mias Papa streng.

Mia denkt scharf nach.

Soll sie ihm sagen, dass Thomas vielleicht in Hamburg ist?

»Hat er dir gesagt, dass er vorhat, wegzulaufen?«, bohrt ihr Papa weiter.

Mia schüttelt den Kopf. »Nein. Thomas hat mir nichts erzählt.« Und das ist nicht gelogen. Thomas hat ihr nur gesagt, dass er Toulouse wiedersehen will.

***

Als Mia mit ihrer Familie ein paar Tage später beim Abendbrot sitzt, klingelt es an der Haustür.

Mias Papa öffnet.

»Hans! Was führt dich zu uns? Bist du noch immer auf

der Suche nach Thomas?«

»Nein, ich habe ihn gefunden«, hört Mia Thomas' Vater antworten.

Erschrocken rutscht Mia von ihrem Stuhl und schleicht in den Flur.

»Wo ist Thomas?«, fragt Mias Papa.

»Im ›Circus Diadem‹ in Hamburg.« Seufzend lässt sich Thomas' Vater auf der Treppe nieder. »Ich glaube, ich habe alles falsch gemacht.«

Nun kommt auch Sophie mit Stella aus der Küche. »Hans, was ist passiert?«

»Ich hatte heute einen Anruf von einer Hanna Schönfeld. Sie ist Lehrerin im ›Circus Diadem‹. Thomas ist per Anhalter nach Hamburg gefahren und hat sich dort ein paar Tage versteckt, bevor sie ihn entdeckt hat«, berichtet Thomas Vater. »Toulouse hat ihn in einem der Wohnwagen untergebracht, bis die beiden aufgeflogen sind.«

»Und nun holst du ihn zurück?«, will Sophie wissen. Sie setzt sich neben ihren alten Klassenkameraden auf die Treppe, während Stella auf ihren Rücken klettert und Pferdchen spielt.

»Wir wollten schon vor drei Tagen nach Ibiza fliegen. Den Urlaub musste ich bereits stornieren. Ich habe vorhin kurz mit Thomas telefoniert. Er hat am Telefon geweint und mich angeschrien. Ich soll bleiben, wo der Pfeffer wächst, sonst wandert er nach Amerika aus und ich werde ihn nie wiedersehen.« Voller Verzweiflung streicht sich Thomas' Vater übers Gesicht. »Was soll ich nur tun? Ich habe alles falsch gemacht. Ich wollte doch nur das Beste für meinen Sohn.«

»Aber das Beste für deinen Sohn ist nicht unbedingt das Beste, was du dir vorstellst«, sagt Sophie.

»Wie meinst du das?«, hakt Thomas' Vater nach.

Mitfühlend legt Sophie ihm eine Hand auf die Schulter. »Als Eltern glauben wir oft, wir müssen unsere Kinder vor Fehlern bewahren, aber das können wir nicht. Sie müssen selbst herausfinden, was das Beste für sie ist, auch wenn wir damit nicht einverstanden sind.«

Hans Wietmüller wischt sich eine Träne aus den Augenwinkeln und nickt schweigend. »Ja. So langsam glaube ich, dass du Recht hast. Ich wollte auch nie Anwalt werden.«

»Wirklich nicht? Warum bist du es dann geworden?«, fragt Sophie überrascht.

Thomas' Vater lacht höhnisch auf. »Mein Vater wollte, dass ich Anwalt werde. Also bin ich Anwalt geworden.«

»Was wären Sie denn lieber geworden?«, platzt Mia heraus.

Thomas' Vater guckt verträumt in die Ferne. »Ich habe immer davon geträumt, Holzkünstler zu werden und die verrücktesten Baumhäuser der Welt zu bauen.«

»Dann sattelst du eben um«, sagt Sophie lächelnd. »Auch wenn ich mir dich überhaupt nicht in einer Holzwerkstatt vorstellen kann. Dort ist es dreckig und staubig.«

Thomas' Vater lacht. »Vermutlich bin ich als Anwalt längst verstaubt. Ich sehe vor lauter Staub nicht einmal, dass mein Sohn unglücklich ist.«

»Was hast du denn der Zirkuslehrerin gesagt?«, fragt Mias

Papa. »Wirst du hinfahren?«

Hans Wietmüller zuckt mit den Schultern. »Ich weiß es nicht. Wenn er mich sieht, wird er vielleicht wirklich weglaufen und dann passiert ihm noch etwas. Ich glaube, ich war zu streng mit ihm.«

»Oh ja, das warst du«, sagt Sophie schonungslos. »Trau deinem Sohn mehr zu! Er ist vernünftig…«

Hans Wietmüller schnauft verächtlich. »Vernünftig nennst du das, wenn ein Zehnjähriger mit wildfremden Autofahrern mitfährt?«

Erschrocken drückt sich Mia gegen die Wand. »Was hat Thomas gemacht?«

Thomas' Vater blickt zu ihr auf. »Thomas hat Anhalter gespielt. Er hat sich einfach an die Autobahn gestellt, den Daumen gehoben und sich von wildfremden Menschen mitnehmen lassen.«

»Ist das nicht gefährlich? Wir sollen doch nicht mit Fremden mitgehen«, weiß Mia noch von ihrem Giraffenkurs in der Schule, bei dem die Polizei ihnen erzählt hat, dass sie niemals mit einem Fremden mitgehen oder mitfahren dürfen.

»Doch, das ist sehr gefährlich. Und es geht nicht immer gut aus. Aber offensichtlich war das Thomas egal. Hauptsache, er kommt weg von zuhause«, sagt Hans Wietmüller traurig.

»Ich glaube, nicht sein Zuhause ist das Problem«, sagt Mia kaum hörbar.

»Nein? Was dann?«, fragt Thomas' Vater unwirsch.

Mia zuckt zurück. »Sie«, sagt sie mutig. »Sie sind immer

so gemein zu Thomas. Und jetzt ist er im Zirkus, weil er den Zirkus liebt und das eine große Familie ist, die füreinander da ist und sich gegenseitig unterstützt. Alle mögen sich dort.«

»Ich mag meinen Sohn auch«, behauptet Thomas' Vater.

»Dann zeig es deinem Sohn auch«, sagt Sophie leise.

»Und wie?« Verzweifelt fährt sich Hans Wietmüller durch die Haare.

»Morgen früh fahren wir mit Mia und Emma nach Hamburg und reden mit Thomas«, schlägt Mias Papa vor. »Ich habe zwei Wochen Urlaub. Ein kleiner Ausflug wird mir guttun.«

»Und warum nehmen wir Emma mit? Ist das nicht dieses vorlaute Ding, das aussieht wie Pippi Langstrumpf?«, hakt Thomas' Vater missvergnügt nach.

Mias Papa lächelt. »Emma wird die nächsten drei Wochen bei uns sein. Ihr Papa wird sie gleich vorbeibringen. Er muss auf Geschäftsreise.«

»Und Emma hat keine Mama mehr«, fügt Mia hinzu. »Darum will sie auch so stark sein wie Pippi Langstrumpf.«

»Verstehe. Darum ist sie wie Pippi. Also gut, Tom, dann starten wir um acht Uhr. Ich hole euch ab.« Hans Wietmüller verabschiedet sich und reicht Emma die Klinke. »Hallo und Tschüß! Bis morgen.«

Verdutzt starrt Emma ihm hinterher. Dann wendet sie sich an Mia. »War das nicht Thomas Vater?«

»Ja. Wir fahren morgen mit ihm nach Hamburg und besuchen Thomas im Zirkus«, erklärt Mia.

»Cool«, sagt Emma. »Ich wusste gar nicht, dass Thomas' Vater so locker ist und Thomas plötzlich erlaubt, im Zirkus zu sein.«

»Das hat er auch nicht erlaubt. Thomas ist vor ein paar Tagen weggelaufen. Komm mit hoch, ich erzähle dir alles!«, sagt Mia und winkt ihre Freundin mit sich.

Man kann alles schaffen

Am nächsten Morgen fährt Hans Wietmüller mit einem Kleintransporter vor. »Guten Morgen, Tom! Wir haben noch meine Nichte und meinen Neffen an Bord. Ich hoffe, das ist okay für euch?«

»Natürlich, Hans«, antwortet Mias Papa und sieht gerade noch, wie Mia und Emma einen kleinen Freudentanz hinlegen. Hoch erfreut springen die beiden hinten in den Transport zu Amelie und Nils.

»Hi!«, sagt Emma und klatscht Nils Hand ab.

»Hallo, du Süßeste aller Süßen«, säuselt Nils ganz verliebt.

Mia kichert.

Und selbst Emma muss grinsen, während Thomas' Vater die Augen verdreht. »Oje, ihr zwei mögt euch? Jetzt bekomme ich von euren Eltern noch Ärger, weil ich mich der Kuppelei schuldig mache!«

Emma rutscht zu Nils auf die hinterste Bank, während Amelie nach vorne auf die mittlere Bank kommt.

»Was ist denn ›Kuppelei‹?«, will Mia wissen.

»Das bedeutet, dass zwei Menschen Sex haben, die noch keine achtzehn Jahre alt sind«, antwortet Nils, bevor Hans Wietmüller überhaupt etwas sagen kann.

Sein Onkel nickt nur stöhnend. »Gott, der Junge ist sogar aufgeklärt. Warum wundere ich mich eigentlich darüber?«

»Keine Sorge, Onkel Hans, Emma ist das tollste Mädchen, aber wir sind nun wirklich noch zu jung für eine Beziehung«, ruft Nils nach vorne.

Hans Wietmüller lächelt. »Da bin ich aber beruhigt.« Er startet den Motor und düst auf die Autobahn.

Zwei Stunden später stehen sie vor dem großen Zirkuszelt.

»Wir sind da!« Unsicher steht Thomas' Vater am Zaun und betrachtet den Zirkus.

»Ich schlage vor, wir Kinder gehen zuerst rein und checken die Lage«, schlägt Nils vor. »Wenn Thomas dich sieht, Onkel Hans, dann könnte er gleich durchdrehen und weglaufen.«

Hans Wietmüller nickt. »Das ist eine gute Idee, danke, Nils.«

Mia schickt Toulouse eine Nachricht über das Handy und fünf Minuten später stehen sie in ihrem Wohnwagen vor Thomas.

»Hallo!«, sagt Thomas überrascht. »Was macht ihr denn

hier? Woher wisst ihr, dass ich hier bin?«

»Onkel Hans…«, fängt Nils an und Thomas hebt eine Hand. »Verstehe, er hat euch vorgeschickt, um mich nach Hause zu holen.«

»Nein, du Dummian, er hat uns vorgeschickt, damit du nicht wegläufst und irgendeine Dummheit machst«, sagt Emma.

»Das ist auch gut so«, betont Toulouse und ergreift Thomas' Hand. »Es war schon gefährlich genug, dass du per Anhalter hierhergekommen bist.«

»Genau. Du hättest lieber den Bus nehmen sollen«, pflichtet Nils ihr bei.

»Mir war auch nicht wohl bei der Sache. Es war ein hässliches Gefühl, in ein Auto mit fremden Menschen zu steigen, ohne zu wissen, ob die nett sind. Aber was hätte ich tun sollen ohne Geld?«, fragt Thomas.

»Bekommst du kein Taschengeld?«, hakt Mia erstaunt nach. »Dein Vater verdient doch bestimmt gut als Anwalt.«

»Ja.« Thomas zuckt mit den Schultern. »Aber seitdem der Zirkus in der Stadt war, habe ich keinen Cent mehr bekommen. Er wollte nicht, dass ich sein hart verdientes Geld für den Zirkus ausgebe.«

»Wenn so etwas noch einmal vorkommt, pumpst du mich an. Ich leihe dir das Busgeld. Wir gehören doch zur selben Familie«, sagt Nils mit strenger Miene.

Thomas lächelt. »Geht klar, Cousin. Danke!« Er deutet auf die Sitzbänke. »Setzt euch doch! Wir haben bestimmt noch ein paar Minuten Zeit, bevor mein Vater sich hereintraut.« Er lacht leise. »Was rede ich? Er würde vermutlich lieber sterben, als mich im Zirkus zu sehen.«

»Dein Vater steht vor dem Zirkuseingang und macht sich große Vorwürfe, weil er so streng war zu dir«, berichtet Emma. »Ich denke, du hast ihm einen ganz schönen Schrecken eingejagt. Einfach weglaufen ist keine Lösung.«

»Ich weiß. Aber ich wusste mir einfach nicht mehr anders zu helfen«, gesteht Thomas zähneknirschend. Dann erhellt sich sein Gesicht. »Wollt ihr eine Vorstellung von mir sehen? In eineinhalb Stunden geht es los.«

»Du hältst eine Vorstellung ganz alleine ab?«, fragt Emma in ihrer typisch spöttischen Art.

Thomas fährt sich nervös durch die Haare. »Nein, natürlich nicht. Ich helfe bei der Papageiennummer von Alessandro mit.«

»Cool«, sagt Nils beeindruckt. »Etwa im Kostüm?«

Toulouse nickt. »Ja. Er trägt ein altes Kostüm meines großen Bruders.«

»Das ist ja nett von deiner Familie«, sagt Amelie zu Toulouse.

»Kann ich denn überhaupt bei der Vorstellung mitmachen? Oder will mein Vater mich gleich abholen?«, fragt Thomas sichtlich nervös.

Im selben Augenblick betritt Frau Schönfeld, die Zirkuslehrerin, den Wohnwagen von Toulouse Familie. »Hallo Kinder! Schön, euch wiederzusehen. Kommt ihr Thomas besuchen oder holt ihr ihn ab?«

»Hallo«, sagt Mia, »wir wollen natürlich eine Vorstellung von Thomas sehen.«

Frau Schönfeld zieht die Augenbrauen hoch. »Dann seid ihr ohne Thomas' Vater gekommen?«

»Nein. Der steht draußen vor dem Tor«, sagt Thomas fast tonlos. Traurig lässt er den Kopf hängen.

Mitfühlend fasst Nils ihm an den Oberarm. »Mach dir keine Sorgen! Er wird dich sicher nicht gleich mitnehmen. Ich glaube, er wird mit dir und Toulouse Eltern reden wollen. Sonst hätte er uns als Verstärkung nicht mitgenommen, sondern wäre wie ein Nilpferd hier einmarschiert und hätte dich über seine Schulter geworfen, um dich nach Hause zu bringen.«

Thomas lacht leise. »Ja, das würde zu ihm passen.«

»Was hältst du davon, wenn wir zu deinem Vater gehen und mit ihm reden, Thomas, während Toulouse deinen Freunden den Zirkus zeigt?«, schlägt Frau Schönfeld vor.

»Wir kennen den Zirkus bereits«, winkt Emma ab. »Vielleicht sollten wir lieber Thomas helfen.«

Frau Schönfeld lacht leise auf.

»Was ist das für eine lustige Runde?«, fragt Tessa Smith-Diadem. »Darf ich mitlachen?«

»Tessa, Thomas Vater steht am Eingang. Hast du ein paar Minuten Zeit, damit wir mit ihm reden können?«, fragt Frau Schönfeld.

Toulouse Mutter macht ein überraschtes Gesicht. »Wirklich? Natürlich. Ich knapse mir etwas Zeit ab. Ihr könnt ja derweil schon einmal die Pferde striegeln. Beppo, unser Clown, wird euch zeigen, wo das Putzzeug steht. Toulouse, du gehst bitte mit!«

Toulouse nickt und lotst ihre Freunde zu den Pferdeställen, während Thomas mit der Zirkusdirektorin und der Lehrerin zum Eingang geht, um mit seinem Vater zu reden.

∗∗∗

Fast ein wenig verärgert sitzt Hans Wietmüller neben Mias Papa in der Loge und lässt die Vorstellung über sich ergehen. Nach der Pause sieht er die hohen Gitterwände für die Löwennummer und verlässt das Zelt.

»Warum geht er weg?«, fragt Mia verwirrt.

»Er mag die Raubtiernummer nicht«, sagt ihr Papa schulterzuckend.

Nach dem Auftritt von Toulouse Vater taucht Toulouse plötzlich bei ihnen auf und lässt sich auf einem freien Stuhl nieder.

»Jetzt kommen die Papageien«, sagt Toulouse leise.

Mia klatscht begeistert in die Hände. »Super! Die Nummer war so toll.«

»Warte nur ab! Alessandro hat sie für Thomas' Auftritt etwas erweitert«, sagt Toulouse geheimnisvoll.

Sie trägt ihr blaues Glitzerkostüm und klettert in dem Moment in die Manege, als ein kleiner schwarzhaariger Mann mit blauer Hose und Frack hereinkommt. Er trägt zwei blaue Aras auf dem linken und zwei rote Aras auf dem rechten Arm.

Thomas betritt ebenfalls die Manege.

Er trägt, passend zu Toulouse Kostüm, einen blauen, glitzernden Anzug.

Sanfte Klaviermusik ertönt und Alessandro lässt die Vögel auf ein Zeichen hin fliegen.

Gemeinsam mit Toulouse steht Thomas hinter Alessandro und platziert die übrigen vier Papageien auf den Stangen, die er zuvor dort aufgestellt hat. Im selben Augenblick kehrt Thomas' Vater zurück und rutscht lautlos auf seinen Stuhl.

Neugierig beobachtet Mia ihn.

Sie weiß nicht, was spannender ist: seine Reaktion auf den Auftritt seines Sohnes oder die Papageiennummer selbst.

Emma stößt Mia in die Rippen. »Was er wohl über Thomas' Auftritt sagen wird?« Mit dem Kopf deutet sie auf Thomas' Vater, der mit fast versteinerter Miene auf seinem Platz sitzt und sich nicht anmerken lässt, was er denkt.

»Manchmal glaube ich, mein Onkel hat ein Herz aus Stein«, mischt sich Nils ein. Traurig schüttelt er den Kopf. »Er könnte zumindest ein bisschen lächeln.«

Thomas wirkt sehr angespannt.

Vorsichtig nimmt er einen roten Papageien von der Vogelstange und wandert mit ihm durch die Manege.

Toulouse nimmt einen blau-gelben Ara und wandert zu Thomas in die Mitte der Manege.

Alessandro hebt die Arme und während die beiden Papageien abheben, landen die beiden tiefblauen Hyacinth-Aras auf den Köpfen von Thomas und Toulouse.

Das Publikum ist begeistert und applaudiert.

»Das ist so exotisch«, schwärmt Emma.

»Ich finde es eher mystisch«, sagt Amelie leise.

»Was meint ihr?«, fragt Mia verwirrt.

Emma beugt sich zu ihr hinüber. »Die Papageien sind so außergewöhnlich.«

»Und geheimnisvoll«, fügt Amelie erklärend hinzu.

»Aber Thomas macht seine Sache wirklich gut.«

»Ja, das finde ich auch«, sagt Mia lächelnd.

Vorsichtig schielt sie zu Thomas' Vater hinüber und zum ersten Mal, seitdem sie ihn kennt, lächelt er.

Im selben Augenblick linst Thomas zu seinem Vater hinüber und ist so überrascht, dass er fast vergisst, den Papageien wieder aufzufangen.

Die Papageien fliegen schließlich noch ein paar Runden über die Köpfe des Publikums hinweg und landen dann auf den ausgestreckten Armen von Alessandro. Er überreicht Toulouse und Thomas jeweils zwei Papageien und verabschiedet sich von den Zuschauern.

Tosender Beifall begleitet die drei Künstler nach draußen.

Sogar Thomas' Vater klatscht in die Hände.

Nach der Vorstellung gehen Mia und ihre Freunde gemeinsam mit Mias Papa und Hans Wietmüller hinten aus dem Zelt. Dort werden die übrigen Zuschauer zum Zirkuszoo vorgelassen, um die Tiere in ihren Behausungen zu bewundern.

»Du warst richtig gut, Thomas!«, sagt Thomas' Vater zu seinem Sohn.

Stolz richtet sich Thomas auf und lächelt. »Danke, Papa. Dann darf ich noch bleiben?«

Hans Wietmüller seufzt. »Ja, du darfst. Solange du Toulouse Familie nicht zur Last wirst.«

»Niemals, Herr Wietmüller«, sagt Toulouse und strahlt über das ganze Gesicht. »Außerdem muss Thomas hier jeden Tag mitarbeiten. Pferdeställe ausmisten, Tiere füttern, trainieren…«

Thomas' Vater hebt eine Hand. »Okay, okay, ich habe es verstanden.« Er wendet sich an seinen Sohn. »Ich schätze, nach drei Wochen hast du ohnehin die Nase voll und kommst freiwillig nach Hause.«

»Niemals«, widerspricht Thomas vorsichtig.

»Er lernt zumindest etwas fürs Leben, Hans«, mischt sich Mias Papa ein.

Thomas' Vater zieht die Augenbrauen hoch. »Ach ja, und was?«

»Dass man sich im Leben seine Träume hart erarbeiten muss«, antwortet Mias Papa.

Thomas' Vater lächelt und strubbelt Thomas durch die Haare. »Das sind wahre Worte!«

Plötzlich fällt Thomas seinem Vater um den Hals. »Danke, Papa, du bist der Beste!«

Überrascht über den Gefühlsausbruch schließt Hans Wietmüller seinen Sohn in die Arme. »Dann ist zwischen uns alles wieder gut?«

Thomas blickt zu ihm auf. »Wenn du versprichst, mir nie wieder Hausarrest zu erteilen, ja.«

Thomas' Vater lacht höhnisch auf. »Oha, das sind ja schwere Bedingungen!« Er drückt seinen Sohn noch einmal fest an sich. »Ich werde darüber nachdenken.«

Thomas seufzt. »Das ist immerhin ein Anfang.«

»Genau«, erwidert sein Vater, »Rom ist schließlich auch nicht an einem Tag erbaut worden.«

»Und was machen wir noch mit dem angebrochenen Tag?«, fragt Mias Papa.

»Wie wäre es mit einer Hafenrundfahrt? Ich lade euch alle ein«, sagt Thomas' Vater und lacht erleichtert auf. Er ist froh, dass er sich mit seinem Sohn wieder versöhnt hat.

»Eine Hafenrundfahrt! Das ist ja toll! Ich liebe das Wasser und die Möwen«, ruft Mia begeistert und auch Emma, Nils und Amelie machen vor Freude einen Luftsprung.

»Kommst du mit, Thomas?«, fragt Mia.

»Ich kann leider nicht. Ich muss noch den Papageienkäfig saubermachen«, lehnt Thomas ab.

»Das übernehme ich für dich«, schlägt Toulouse vor, doch Thomas' Vater hebt abwehrend eine Hand. »Nichts da, ihr zwei. Du willst für vier Wochen im Zirkus leben, dann musst du auch deinen Verpflichtungen nachkommen.«

Thomas nickt. »Du hast Recht, Papa.«

Toulouse legt Thomas eine Hand auf den Arm. »Ich mache das wirklich gerne. Wir sind doch eine große Familie. Da hilft man sich aus. Geh du nur mit deinem Vater und deinen Freunden an den Hafen! Du kannst heute Abend wieder mithelfen.«

Niemand bemerkt Alessandro, der sich der Gruppe genähert hat. »Thomas, du warst großartig! Meine Papageien mögen dich.«

»Vielen Dank, Alessandro«, entgegnet Thomas brav.

Alessandro legt Thomas eine Hand auf den Arm. »Und nun gehst du mit deinem Vater und deinen Freunden an den Hafen und amüsierst dich. Ich werde die Arbeit heute ausnahmsweise für dich erledigen.«

Toulouse lacht lauthals los. »Du machst mich arbeitslos, Alessandro.«

Alessandro zwinkert Toulouse zu. »Dann begleitest du deinen Freund! Ihr habt noch viele Tage, an denen ihr mir helfen könnt.«

Das lassen sich die beiden nicht zweimal sagen.

Gemeinsam mit Mias und Thomas' Vater fahren die Kinder an den Hafen und genießen ihren Ausflug auf einem der Dampfer.

Seufzend lässt sich Mia schließlich neben ihrem Papa auf einem Sitz nieder und legt ihren Kopf an seine Schulter.

Mias Papa umarmt seine Tochter. »Müde?«

»Glücklich. Und ein bisschen erschöpft«, gesteht Mia lachend. »Es ist schön, dass alles wieder gut ist.«

»Ja, mein Schatz, das ist es«, antwortet ihr Papa.

»Und weißt du, was ich gelernt habe?«

Mias Papa setzt sich aufrecht hin und schaut seine Tochter erstaunt an. »Ich bin gespannt…«

»Wenn man für etwas kämpft, weil man es unbedingt will, dann hat man auch Erfolg.«

»Genau, mein schlauer Schatz! Mit viel Geduld und Spucke kann man alles schaffen«, sagt Mias Papa und blickt grinsend zu den Möwen hinüber, die so geduldig mit dem Schiff mitfliegen, bis man ihnen Futter zuwirft. »Das ist eine wichtige Lektion fürs Leben, die für jedes Lebewesen gilt.«

Mia lacht leise. »Ja, aber Fritz ist bestimmt eine Ausnahme. Der wird auch noch in fünf Jahren bei uns ein und ausfliegen. Vermutlich traut er sich nicht einmal in den Wald.«

»Stimmt. Fritz und Fridolin sind beide Ausnahmen. Aber wir haben sie lieb gewonnen. Sie sind jetzt vollwertige Familienmitglieder«, bestätigt Mias Papa grinsend.

»Genau«, sagt Mia und freut sich schon wieder auf ihr buntes Zuhause.

ENDE

Liebe Leserin, lieber Leser,

vielen Dank, dass du dich mit mir zusammen auf die Suche nach Antworten gemacht und mit Mia auf Entdeckungsreise gegangen bist. Mir ist das kleine Mädchen mit seinem frechen Pinguin mächtig ans Herz gewachsen.

Falls du mir eine besonders große Freude machen willst, dann schreibe doch bitte im Twentysix-Shop und/oder bei Amazon (oder einem Online-Buchhändler deiner Wahl) in einer Rezension, wie dir das Buch gefallen hat.

Egal, wie umfangreich deine Beurteilung ausfällt, als unabhängige Autorin ist es sehr wichtig für mich, Bewertungen zu bekommen.

Tausend Dank dafür!

Danksagung

Ich danke zunächst dem Zirkus Probst. Brigitte Probst hat mir bereits im Jahr 2016 als Journalistin einen Blick hinter die Kulissen gewährt. Hierdurch entstand die Idee zu dem Buch „Mia und die Zirkusfamilie".

Ich danke weiterhin dem Zirkus Krone, der wohl mittlerweile mit über 300 Mitarbeitern, 200 Tieren und 300 Wohn-, Pack- und Gerätewagen nicht mehr nur noch der größte Zirkus Europas ist, sondern seit der Schließung des größten Zirkusses der Welt ›US-Zirkus Ringling‹ im April 2017 nun sogar der größte Zirkus der Welt sein dürfte. Hier danke ich insbesondere Jana Mandana Lacey-Krone, die als Zirkuschefin ein schweres Erbe angetreten und mir einen sehr tiefen Einblick in ihr Unternehmen gewährt hat. Ich danke außerdem der Zirkuslehrerin Christina Kretschmann für die kleine ›Unterrichtsstunde‹ mit Blick auf ihr Leben sowie Alexander Kielbasser für die freundliche Führung. Ich danke ebenfalls den vielen, vielen Menschen, die mir einen Einblick in ihre Zirkuswelt erlaubt haben.

Zuletzt danke ich sehr herzlich Ivana Koutchov, einem ehemaligen Zirkusmädchen von Zirkus Krone, die mittlerweile in München Rechtswissenschaften studiert und sich sehr viel Zeit genommen hat, um mir die autarke Zirkusstadt exklusiv näher zu bringen.

Herzbuch-Autorin und Illustratorin

Als Herzbuch-Autorin stehe ich für kind- und jugendgerechte Aufklärung mit Herz. Ich habe nicht nur die Aufklärungsreihe „Mia - Aufklärung mit Herz" mit brisanten Sachthemen und harten Fakten über Homosexualität, Trauerbearbeitung, Flüchtlinge, Mobbing, Sexualität, Transgender und Drogen geschrieben, sondern ebenso Märchen und Komödien, die auch dein Herz zum Lächeln bringen.

Mein Geheimnis? Ich liebe meine Arbeit und das seit meinem 9. Lebensjahr.

 Willst du mehr über mich wissen, dann besuche meine Website
https://www.lilly-froehlich.de/

Quizfragen zur Mia-Reihe findest du übrigens auf www.antolin.de.

Bestseller ohne Cover?

Unmöglich!

Wir geben deiner Kunst ein Gesicht.

Hole dir noch heute deine kostenlose Erstberatung!

https://isabelleferrara.myonlinemail.de/

https://www.nuebedia.de/kuenstler.html

Ebenso im Handel erhältlich als Taschenbuch und E-Book
**Trennung - Eine Patchworkfamilie für Mia
(Band 1)**

Die siebenjährige Mia wollte eigentlich eine Schwester – bekommen hat sie einen leeren Küchenstuhl, denn ihre Eltern haben sich getrennt. Und weil das heutzutage gar nicht mehr so ungewöhnlich ist, lebt Mia bei ihrem Papa.
Während sich ihr Papa in ihre Klassenlehrerin verliebt, verliebt sich der kleine Pinguin Fridolin in Mia. Wird Frau Biber nun ihre neue Mama und deren Sohn Benjamin ihr neuer Bruder?
Mias Leben ist plötzlich wie ein zusammengewürfelter Haufen bunter Flicken – Patchwork eben!

ISBN: 978-3-740-765576
Ab 6 Jahre

Ebenso im Handel erhältlich als Taschenbuch und E-Book
**Andersrum - Mia und die Regenbogenfamilie
(Band 2)**

Aufregung in Bärenklau! Mias Klasse bekommt Zuwachs – ein Zwillingspärchen aus der Hauptstadt. Nils und Amelie haben zwei Mütter, leben also in einer Regenbogenfamilie und davon haben die Bewohner in Bärenklau noch nie gehört, erst recht nicht die Klasse 3b. Und so beschließt ihr neuer Klassenlehrer, Herr Knabe, die unterschiedlichen Familienformen im Unterricht zu besprechen. Ganz zum Ärger von Thomas' Vater, der einen Riesenwirbel veranstaltet, um Herrn Knabe auszubremsen. Mia freundet sich mit den Zwillingen an und stellt schnell fest, dass zwei Mütter fast ganz normal sind – Regenbogen eben!

ISBN: 978-3-740-76583
Ab 7 Jahre
Von der AJuM der GEW für Schulen empfohlen!

Ebenso im Handel erhältlich als Taschenbuch und E-Book

**Neuanfang - Mia und die Flüchtlingsfamilie
(Band 3)**

Die Bürger von Bärenklau sind nervös und haben Angst. Menschen aus fremden Ländern, in denen Krieg herrscht, sollen in ihrem kleinen Ort untergebracht werden. Dabei ist das Dorf doch viel zu klein, niemand spricht Arabisch und die Fremden verstehen kein Wort Deutsch. Als das Flüchtlingskind Samira in Mias Klasse kommt, spaltet sich die Klassengemeinschaft genauso wie das Dorf in zwei Lager: diejenigen, die die Fremden ablehnen und diejenigen, die sich über die Neuzuwachs freuen. Aber reicht das aus, damit die neuen Dorfbewohner heimisch werden?

ISBN: 978-3-740-765590
Ab 8 Jahre

Im Handel erhältlich als Taschenbuch und E-Book
Entmobbt - Mia und die Pflegefamilie
(Band 5)

Mobbingopfer können sich nicht von alleine aus der Mobbingfalle befreien und Mobber hören mit dem Schikanieren von sich aus auch nicht wieder auf. Das müssen Mia und ihre Freunde schnell feststellen, als Michael über einen längeren Zeitraum immer heftiger von Lennard, Boris und Hannes geärgert und verletzt wird. Sie wenden sich an ihren Klassenlehrer Herrn Knabe, der Anti-Mobbing-Experten in die Schule holt. Nach einem Selbstmord an der Schule organisiert der Schülerrat das Projekt „Schule ohne Rassismus - Schule mit Courage". Zeitgleich erfährt Mia nicht nur, dass ihre Tante eine „Bereitschafts-"Pflegemutter ist, sondern ihr langjähriger Kumpel Lucas ein Pflegekind. Warum lebt er in einer Pflegefamilie und was bedeutet das überhaupt? Und kann die Schule das Mobbingproblem in den Griff bekommen?

ISBN: 978-3-740-765613
Ab 10 Jahre

Ebenso im Handel erhältlich als Taschenbuch und E-Book

Ungewollt - Mia und die Teeniefamilie
(Band 6)

Bella Lustig ist Mias Klassenkameradin und eigentlich recht unauffällig. Heimlich trifft sie sich mit dem Mädchenschwarm der Klasse, Boris Brotmayer, und plötzlich ist sie schwanger. Mia, Emma und Amelie sind geschockt. Bella ist doch erst 15! Der Klassenlehrer, Herr Knabe, holt sich externe Unterstützung, um die Klasse aufzuklären. In einer Projektarbeit bekommen die Schüler ein Baby-Dummie, eine Puppe, die schreit, wenn sie versorgt werden will.

Unglücklicherweise sind Bellas Eltern gegen die Schwangerschaft. Als das Baby da ist, fühlt sich Bella schnell überfordert. Und mit einem Mal ist es gar nicht mehr so aufregend, ein Baby zu haben, denn Bella muss sich Tag und Nacht um die Kleine kümmern. Bald ist sie am Ende ihrer Kräfte - eine Lösung muss her. Werden Mia und Emma ihr helfen können?

ISBN: 978-3-740-765620
Ab 12 Jahre

Transgender? Transidentität? Transsexualität? Das sind Begriffe, mit denen sich bisher kein Bärenklauer auseinandersetzen musste! Als Christina in Mias Klasse kommt, sorgt sie für Wirbel, denn Christina möchte ›Chris‹ genannt werden und sagt, sie sei ein Junge - ein ›Trans*Junge‹. Davon wollen Chris' Eltern jedoch nichts hören. Mias Klassenlehrer, Herr Knabe, holt Fachleute in die Schule, um sich und die Schüler der Klasse 8b über Transidentität aufzuklären. Aber auch Chris' Freundin René hat ein Problem: Sie hat herausgefunden, dass sie als Baby adoptiert wurde und ist deswegen von zuhause weggelaufen. Warum haben das ihre Adoptiveltern verschwiegen? Und wer sind ihre leiblichen Eltern? Mia und Emma wollen helfen. Aber reicht das, um Chris Anerkennung als Jungen zu verschaffen und René wieder mit ihren Adoptiveltern zusammenzuführen?

ISBN: 978-3-740-765637
Ab 12 Jahre

Ebenso im Handel erhältlich als Taschenbuch und E-Book
Drogen(un)glück - Mia und die Stieffamilie
Band 8

Als Mia mit ihrem Freund Thomas in die Teeniedisco geht, schüttet ein Fremder die illegale Droge Crystal Meth ins Glas, welches Thomas unbeobachtet stehen lassen hat. Thomas kann daraufhin drei Tage nicht schlafen, spürt keine Schmerzen, hat keinen Hunger und wird aggressiv. Mia ist geschockt, als er plötzlich anfängt Cannabis zu rauchen. Thomas Eltern stellen fest, dass sie Thomas mit Vernunft und Aufklärung nicht zu kommen brauchen, denn die Baustelle im Kopf, die die Pubertät verursacht, ist gar nicht so einfach zu überlisten. Auch der Klassenlehrer, Herr Knabe, versucht die Jugendlichen durch einen Drogenberater von den Drogen wegzukriegen.
Thomas rutscht immer tiefer in die Drogenszene und auch Michael, der Stress mit seinem neuen Stiefvater hat, sucht Ablenkung im Drogenkonsum. Mia und Emma versuchen, die Jungs zu bekehren, aber reicht das aus?

ISBN: 978-3-740-765279
Ab 13 Jahre

Ebenso im Handel erhältlich als Taschenbuch und E-Book

Interview mit Rumpelstilzchen Junior

(Märchen)

Emma Valentino wollte Steven nur eine Einladung zur Kostümparty geben. Doch dann saß sie plötzlich in einer Waldhütte vor einem zotteligen Zwerg, der behauptete, Rumpelstilzchens Sohn zu sein.

Er war es leid, dass sein Vater als Bösewicht in die märchenhafte Geschichte eingegangen ist, und wollte endlich mit den Vorurteilen aufräumen.

Im Gegenzug für das Interview hat er Emma ein Date mit Steven versprochen. Und so purzelte sie in ein märchenhaftes Abenteuer mit vielen Überraschungen.

ISBN: 978-3-740-705640
Ab 10 Jahre